ZOUT OP MIJN HUID

Benoîte Groult
ZOUT OP MIJN HUID

Vertaald door Annelies Konijnenbelt en Nini Wielink

ARENA AMSTERDAM 1994

Oorspronkelijke titel: *Les Vaisseaux du coeur*
© Oorspronkelijke uitgave: Editions Grasset & Fasquelle, 1988
© Nederlandse uitgave: Arena Amsterdam, 1990
© Vertaald uit het Frans door Annelies Konijnenbelt
en Nina Wielink
Omslagontwerp: René Abbühl, Amsterdam
Typografische verzorging: Marjo Starink / Studio Cursief, Amsterdam
Zetwerk: Stand By, Nieuwegein
Druk- en bindwerk: Giethoorn/NND, Meppel
Eerste tot en met eenentwintigste druk mei 1990-november 1993
Tweeentwintigste druk maart 1994
ISBN 90 6974 014 1
NUGI 301

INHOUD

Eenzaam is degene die voor
niemand nummer één is.
Hélène Deutsch

VOORWOORD

Welke naam zal ik hem eigenlijk geven, opdat zijn vrouw het nooit zal weten? Een Bretonse naam in ieder geval want die had hij. Maar dan een naam die de barden gebruikten, de naam van een van die Ierse helden met ongerijmde moed, die meestal de strijd verloren, maar nooit hun ziel.

De naam van een Viking misschien? Nee, die waren blond. Van een Kelt liever, dat ras van donkerharige, gedrongen mannen met lichte ogen en rossige bijgedachten in hun baard. Hij hoorde echt bij dat volk waarvan de geografie onduidelijk en de geschiedenis omstreden is, en dat meer dichterlijke dan werkelijke sporen heeft achtergelaten.

Ik wil hem een ruwe, rotsachtige voornaam geven, die past bij zijn massieve gestalte, bij zijn donkere haar dat wat laag op zijn voorhoofd en met dikke krullen in zijn brede nek groeide, bij zijn felblauwe ogen, schitterend als de zee onder zijn borstelige wenkbrauwen, bij zijn Tartaarse jukbeenderen en zijn koperen baard die hij liet groeien als hij op zee was.

Ik hul hem in verschillende namen en laat hem ronddraaien voor mijn innerlijke spiegel. Nee, deze naam zou niet goed weergeven hoe bot en woest hij eruit kon zien wanneer je je tegen hem verzette; en die zou niet passen bij zijn zware gang.

'Kevin'? Ja, maar dan zou ik zeker moeten weten dat het op z'n Engels wordt uitgesproken en niet als 'Quévain'.

'Yves' doet denken aan IJslandse vissers.

'Jean-Yves', die ben ik toevallig al te vaak tegengekomen tijdens mijn vakanties in Bretagne, altijd kleine, magere kereltjes met sproeten.

'Loïc'? Misschien... maar ik zou iets ongewoners willen, een naam die past bij een aalscholver.

'Tugdual' dan? Of 'Gauvain', een van de Twaalf van de Ronde Tafel? Of 'Brian Boru', de Ierse Karel de Grote? Maar de Fransen zouden ongetwijfeld 'Brillant Borû' zeggen en de streling van de Engelse r, die subtiele trilling van de tong in het midden van de mond, zou plaats maken voor het onbevallige geschraap dat wij Fransen 'r' noemen.

Toch moet hij wel een riddernaam hebben. En welke ridder was trouwer dan Gauvain, de zoon van Loth, koning van Noorwegen, en Anne, de zuster van Arthur, die stierf in een tweegevecht tegen Mordred, de verrader van zijn koning. Hij was sober, wijs, waardig, grootmoedig, verschrikkelijk sterk en onvoorwaardelijk trouw aan zijn opperleenheer, zoals de teksten van de cyclus van Arthur vertellen, geen dichter maar een plichtsgetrouw man, hoeveel er ook op het spel stond, klaar voor avontuur en heldendaden. Zo wordt hij in de Bretonse cyclus beschreven en zo is de man uit mijn verhaal.

Hij had in werkelijkheid een voornaam die ik onbenullig vond. Zodra hij in mijn leven is verschenen, heb ik bijnamen voor hem verzonnen. Ik bied hem nu definitief deze naam aan, die mooi is om te schrijven en mooi om te lezen, want nu kan ik hem alleen nog maar op papier zetten.

Toch zal ik me niet zonder vrees scharen onder de schrijvers die gepoogd hebben op een blanco vel de geneugten vast te leggen die vleselijk heten maar die het hart soms zo kunnen bezwaren. Om zoals velen waarschijnlijk, en zeker de nog grotere groep die het heeft moeten opgeven, te ontdekken dat de taal me niet te hulp zal komen wanneer ik de vervoering van de liefde wil uitdrukken, dat intense genot dat de grenzen van het leven verlegt en iets in ons teweegbrengt waarvan we het bestaan niet vermoedden. Ik weet dat ik gevaar loop me belachelijk te maken, dat mijn uitzonderlijke gevoelens in alledaagsheid zullen blijven steken en dat ieder woord klaar staat om me te verraden, vervelend of vulgair te worden, kleurloos of bespottelijk, zo niet ronduit weerzinwekkend.

Welke namen geeft mijn hart me in voor die in- en uitgroeisels waarin het verlangen zich uitdrukt, verdwijnt en weer ontwaakt? Hoe moet ik ontroeren wanneer ik het over '*coïtus*' heb? Co-ire, samen gaan, zeker. Maar wat vormt nu precies het genot van twee lichamen die samen gaan?

'*Penetratie*'? Dat heeft een juridisch tintje. 'Heeft er penetratie plaatsgevonden, juffrouw?' En '*ontucht*' ademt een walm van biecht en zonde uit. En '*copulatie*' doet denken aan hard werken, '*paring*' aan dieren en de uitdrukking '*naar bed gaan*' is zo saai en '*neuken*' zo doortastend...

'*Pimpernellen*' dan of '*veugelen*'? '*Schommelen*' of '*van onder spelen*'?

Dat zijn helaas vergeten woorden en vrolijke uitvindingen van een jonge, onrijpe taal die zich nog niet had laten beteugelen.

Er rest ons heden ten dage, in deze tijd van taalvervlakking waarin woorden nog sneller slijten dan kleren, niets anders dan vieze of verbloemende woorden die door herhaald gebruik verbleekt zijn. En dan hebben we nog het brave '*de liefde bedrijven*', altijd bruikbaar, maar ontdaan van iedere emotionele, aanstootgevende of erotische lading. Kortom, ongeschikt voor literatuur.

En als het gaat om de organen die dit genot overbrengen, stuiten de schrijver, en de schrijfster misschien nog meer, op nieuwe struikelblokken. 'De roede van Jean-Phil was tot barstens toe stijf... De fallus van Mellors stond machtig, schrikwekkend overeind... De kloten van de adjunct-directeur... Je aanbeden scrotum... Zijn penis, jouw pubis, hun penibus... Mijn getande vagina... Uw clitoris, Béatrice...' Hoe moet je vermijden dat het komisch wordt? Wanneer het om seks gaat, verliest zelfs de anatomie haar onschuld en de woorden, die smeerlappen die een geheel eigen leven leiden, dringen je pasklare beelden op en lenen zich niet voor onbedorven gebruik. Ze behoren tot het Latijn of het Bargoens, het jongerentaaltje of de schuttingwoorden. Als ze al bestaan. Want de woordenschat betreffende de genietingen van de vrouw blijkt, zelfs bij de beste schrijvers, van een ontstellende armzaligheid te zijn.

Je zou alles moeten kunnen vergeten, te beginnen bij de bladen die gespecialiseerd zijn in tumescenties, de fotoromans op basis van slijmvliezen en de driedubbele axels van de seks, van commentaar voorzien door tegen minimumloon betaalde, onverschillige journalisten. En dat geldt misschien nog meer voor de sjieke erotiek die je hoort te waarderen onder de dekmantel van een filosofisch jargon dat het schandelijke karakter ervan maskeert.

En toch bestaat het verhaal dat ik zou willen vertellen niet zonder de beschrijving van de 'ondeugd van het fijmelen'*. Al fijmelend hebben mijn helden elkaar verleid; om te fijmelen zijn ze elkaar over de hele wereld achterna gereisd; vanwege de ondeugd van het fijmelen hebben ze zich nooit van elkaar kunnen losmaken, hoewel alles hen uit elkaar dreef.

Om een verklaring te geven voor deze liefde, zou het mooier en gemakkelijker zijn om een gelijkgezindheid op het gebied van ideeën of cultuur aan te voeren, of een vriendschap uit de kindertijd, een zeldzame begaafdheid bij een van beiden, een aangrij-

---

* Synoniem voor de geslachtsdaad (*Het Nederlandsch kluchtspel in de zeventiende eeuw* van Van Moerkerken). (vert.)

pende vorm van invaliditeit..., maar de naakte waarheid moet gezegd worden: deze twee waren geschapen om elkaar te negeren, ja zelfs te verachten, en alleen door middel van de onduidelijke taal van de liefde hebben ze met elkaar kunnen communiceren en alleen de magie van het dingetje in het doosje – met inbegrip van de verhalen over predestinatie die men in zulke gevallen graag aanhaalt, ofwel de mysterieuze reflexen, of de werking van hormonen, of weet ik veel – alleen die magie heeft hen zo innig met elkaar verbonden dat zij iedere barrière heeft geslecht.

Rest me nog om de bezigheid die op aarde het meest algemeen wordt uitgeoefend, voor te stellen als iets fascinerends. Want als het niet fascinerend is, waarom moet het dan opgeschreven worden? En hoe breng je dat glimpje gelukzaligheid onder woorden dat zich bevindt tussen de benen van mannen en vrouwen en hoe laat ik voor een wonder doorgaan wat zich overal, sinds mensenheugenis, afspeelt tussen gelijke en verschillende seksen, beklagenswaardige of bejubelde?

Ik beschik hiervoor over geen enkele kennis die anderen niet zouden bezitten noch over enig woord dat niet al door anderen misbruikt is. Het gaat geenszins om een reis naar onbekende gebieden: er bestaan geen Papoea-landen in de liefde. Tenslotte is er niets banaler dan kut en lul, en een fallus van de beste kwaliteit stroomt op zeker moment net zo leeg als een pik van lage komaf.

Het zou dus verstandiger zijn om er maar van af te zien. Te meer daar, tussen de struikelblokken van de pornografie en die van de rozengeur, de paar meesterwerken van iedere literatuur staan te prijken die lachen om al die gevaren. Maar mocht het misgaan, dan nog blijkt voorzichtigheid pas achteraf waardevol te zijn. En is literatuur niet altijd onvoorzichtig?

Ten slotte leek het me zo mooi om, ondanks alles, de eerste regels van dat onmogelijke verhaal op te schrijven: 'Ik was achttien jaar toen Gauvain voorgoed een plaats in mijn hart veroverde of in dat waarvan ik toen dacht dat het mijn hart was terwijl het nog maar mijn buik was...'

I
GAUVAIN

Ik was achttien jaar toen Gauvain, zonder dat een van ons beiden het wist, in mijn hart voorgoed een plaats veroverde. Ja, het begon in mijn hart of in dat waarvan ik toen dacht dat het mijn hart was terwijl het nog maar mijn buik was.

Hij was zes of zeven jaar ouder dan ik en dat hij zeeman was en zijn brood al verdiende woog toen op tegen het feit dat ik als studente nog van mijn ouders afhankelijk was. Mijn Parijse vrienden waren bij hem vergeleken maar melkmuilen, jazzfanaten; hij was al getekend door het beroep dat een gespierde jongen in te korte tijd verandert in een natuurkracht, en voortijdig in een oude man. Je zag nog iets van zijn kinderjaren in zijn ogen die hij afwendde zodra iemand naar hem keek, en nog iets van zijn jongensjaren op zijn arrogante lippen die bij de hoeken omkrulden, en zijn mannelijke kracht was indrukwekkend vanwege zijn machtige handen, bijna verstrakt door het zout, en vanwege zijn zware manier van lopen die uit elke stap sprak, net of hij dacht dat hij zich nog steeds op de brug van een schip bevond.

Tot de puberteit hadden we elkaar misprijzend bekeken als exemplaren van twee onverenigbare soorten, hij in zijn rol van Bretonse bonk, ik als Parisienne, wat ons de geruststellende zekerheid gaf dat onze wegen elkaar nooit zouden kruisen. Hij was ook nog eens een arme boerenzoon en ik een dochter van toeristen, wat hij scheen te beschouwen als ons voornaamste beroep en een manier van leven waarvoor hij nauwelijks waardering kon opbrengen. In zijn spaarzame vrije tijd voetbalde hij hartstochtelijk met zijn broers, wat in mijn ogen volstrekt oninteressant was, of hij haalde nestjes uit of schoot de vogels met een katapult neer, wat ik verachtelijk vond; de resterende tijd maakte hij ruzie met zijn makkers of slingerde ons 'scheldwoorden' naar het hoofd als hij ons, mijn zus en mij tegenkwam, wat ik typisch iets voor een man en dus verfoeilijk vond.

Hij was degene die de banden lek stak van mijn eerste rijkemeisjes-fietsje, dat inderdaad een belediging was voor de kist op wieltjes waaraan altijd iets kapot was en waarin hij, samen met zijn broers, met een oorverdovend kabaal dat zij prachtig vonden de enige weg die ons dorp rijk was kwam afsuizen. Later, toen zijn benen lang genoeg waren, reed hij heen en weer schuivend over het zadel op de schamele fiets van zijn vader, het stalen ros dat alleen de absoluut noodzakelijke onderdelen bezat en dat hij stiekem inpikte als vader Lozerech na diens zaterdagse stuk in de kraag de nacht doorbracht in een greppel. En wij bevestigden met wasknijpers ansichtkaarten op de spaken van onze verchroomde, van bel, spatlap en bagagedrager voorziene fietsen om het geluid van een motor te produceren en de broers Lozerech, die ons volslagen negeerden, af te troeven.

Door een soort stilzwijgende afspraak speelden we uitsluitend met de enige dochter van de Lozerechs, de jongste uit 'die konijnenfokkerij' zoals mijn vader misprijzend zei, een onbevallig blond meisje dat Yvonne heette, een voornaam die in onze ogen een onoverbrugbare hindernis was. Ik zei het al: er was een wereld van verschil tussen ons.

Gauvain

Toen ik een jaar of veertien, vijftien was, verdween Gauvain uit mijn blikveld. Hij voer 's zomers al als scheepsjongen op de trawler van zijn oudste broer, de *Vaillant-Couturier**, een naam die me wel beviel omdat ik lange tijd in de overtuiging verkeerde dat er een dappere modeontwerper werd bedoeld die onverhoopt een heldenrol bij een schipbreuk had gespeeld! Zijn moeder zei dat hij 'van aanpakken wist' en dat 'die knul snel zou opklimmen'. Maar vooralsnog was hij scheepsjongen, dus het mikpunt aan boord. Dat was zo het gebruik en zijn broer had als baas nog minder dan een ander het recht om het voor hem op te nemen.

Voor ons betekende het een vijand minder in het dorp. Maar ook al waren ze nu nog maar met de vijf jongsten, de gebroeders Lozerech bleven ons, mijn zus en mij, beschouwen als piskousen omdat we vrouwtjes waren, en als nuffen omdat we uit Parijs kwamen. En dan heette ik ook nog George. 'George zonder S', verduidelijkte mijn moeder altijd, die me had geofferd op het altaar van haar jeugdliefde voor de *Indiana* van George Sand. Volgens mijn jongere zus, die gewoon Frédérique heette en die ik uit wraak 'Frédérique met een Q' noemde, schaamde ik me voor mijn voornaam. Ik zou inderdaad heel wat hebben gegeven om verlost te zijn van het geginnegap aan het begin van elk schooljaar als de 'nieuwelingen' moeten wennen. Kinderen zijn meedogenloos voor iemand die anders is. Pas op volwassen leeftijd kon ik mijn moeder vergeven hoe ze me had genoemd.

Op mijn school, de Sainte-Marie, was het minder erg dan op het platteland. Je kon verwijzen naar George Sand hoewel ze niet bijzonder in trek was. Maar ze had zich per slot van rekening gerehabiliteerd met *la Mare au Diable* of *la Petite Fadette* en later door de Deftige Dame van Nohant te worden. Maar in Raguenès lokte mijn naam een niet aflatende stroom hatelijkheden uit. Ze konden er maar niet aan wennen of liever gezegd ze vertikten het een

---

* Koene Snijder (vert.)

zo dankbaar thema op te geven. Ik werd uitsluitend George Zonderes genoemd.

Daar kwam nog bij dat ons gezin niet in een villawijk woonde maar midden in een dorp van boeren en vissers waarin wij de enige valse noot waren. De 'strandpyjama's' van mijn moeder, de grote baretten die mijn vader droeg en zijn knickerbockers van tweed werkten geregeld op de lachspieren. De dorpsvlegels durfden het niet in het bijzijn van de ouders te zeggen, maar als ze in een groepje waren, een allegaartje van jongens die zich uiteraard superieur voelden omdat ze een piemel hadden, zetten ze steevast, Lozerech voorop, zodra ze ons zagen een versje in dat zo onbenullig was dat we er onze schouders voor hadden moeten ophalen, maar dat ons in al zijn achterlijkheid verschrikkelijk ergerde:

Parijzenaren
Hondeharen!
Parijzenoren
Varkensoren!

Als kind vind je de stomste grapjes vaak het leukst. We namen wraak als onze belagers alleen of met z'n tweeën waren. Als groep vertegenwoordigden ze de Man. Apart waren ze niet meer dan een knulletje tegenover een meiske, of erger nog, een boerenkinkel tegenover een stadsjuf.

Gauvain is nooit bij ons thuis geweest. Het was overigens in zijn ogen niet een huis maar een villa, met een belachelijk strooien dak terwijl alle dorpsbewoners niets liever wilden dan een normaal dak, een dak van lei boven hun hoofd. Het authentieke stro van met de hand gemaaide rogge, dat met veel moeite was bemachtigd bij de laatste strodekker van de streek en peperduur, vonden zij een belediging van het gezonde verstand.

Een simpel zinnetje als 'Kom bij mij thuis wat lekkers halen' of later 'Kom even wat drinken', kwam niet eens in ons op. Daarentegen vroeg ik vaak Yvonne die van mijn leeftijd was bij ons te komen spelen. En wij konden uiteraard vrijelijk rondlopen op de boerderij, waar de voortdurende bedrijvigheid, de rommel, de kleren van de acht kinderen die overal rondslingerden, de bemodderde klompen in de gang, het erf vol zelfgetimmerde konijnehokken, vol honden, katten, kippen en ondefinieerbare landbouwwerktuigen die zo te zien nergens meer toe dienden, maar die eenmaal per jaar van nut waren bij een bezigheid waar ze onmisbaar bleken te zijn, in onze ogen het toppunt van vrijheid leken, terwijl wij, bewoonsters van een keurige villa, elke avond ons speelgoed moesten opruimen en elke dag onze linnen sandalen moesten witten.

De contacten verliepen altijd op deze manier, dat las ik ook elke dag in mijn meisjesboeken waarin dames met namen als De Fleurville of De Rosbourg behoeftige vrouwen, jonge kraamvrouwen, verlaten moeders of arme zieke weduwen bezochten, die op hun beurt nooit zouden worden toegelaten in hun salons.

Soms bleef ik 'meeëten' bij de Lozerechs en werkte ik met smaak soep met spek naar binnen waar ik thuis van zou hebben gegriezeld, nadat ik eerst met Yvonne de piepers had geschoffeld, een onaantrekkelijk karweitje maar waardoor ik niet helemaal werd beschouwd als een stadsjuf met twee linkerhanden. Ik was er trotser op dat ik een koe kon melken dan dat ik de Franse departementen kon aanwijzen op de blinde kaart in mijn slaapkamer. Ik vond het leuk om te denken dat ik het, in een ander leven, niet slecht zou doen als boerin.

Juist tijdens het dorsen zagen we elkaar voor het eerst als menselijke wezens, Gauvain en ik, en niet meer als exemplaren van vijandige sociale klassen. Die dagen kwamen alle buren 'een handje helpen' en elk gezin wachtte tot er zoveel mogelijk handkracht bij elkaar was alvorens te beginnen. Drie van de jongens Lozerech onder wie Gauvain waren tegelijkertijd thuis, wat zelden voorkwam, en die gelegenheid moest worden aangegrepen om af te spreken wanneer het grote werk zou worden gedaan.

Frédérique en ik hielpen hen, onze naaste buren, elk jaar bij het dorsen en we hadden trots ons aandeel in het werk, in de uitputting 's avonds en ook in de opwinding waarmee de belangrijkste gebeurtenis van het jaar gepaard gaat, de gebeurtenis die onverbiddelijk de doorslag geeft op de jaarbalans van een heel gezin.

De laatste dag was het om te stikken geweest. De haver en de gerst waren al binnengehaald en sinds twee dagen waren we bezig met de tarwe. De lucht zinderde van de hitte, van het dichte stof dat in ogen en kelen prikte en van het hortende geluid van de machine. De donkergekleurde rokken van de vrouwen waren langzamerhand even grijs geworden als hun haar en hun mutsen, en langs gezicht en hals van de mannen gutste bruinig zweet. Alleen Gauvain werkte met ontbloot bovenlijf. Staand boven op een kar sneed hij met een haal van zijn sikkel de strooien band om de schoven door, stak ze aan zijn hooivork en wierp ze met een beweging die ik majesteitelijk vond op de lopende band waar ze schuddend neerdaalden. Hij glansde in de zon van het zweet, mooi jong zweet, tussen de blonde tarwe die om hem heen stoof, en zijn spieren speelden zonder ophouden onder zijn huid, net als de bilpartij van de twee sterke paarden die hem geregeld een nieuwe lading schoven brachten.

Ik had nog nooit een zo mannelijke man gezien behalve in Amerikaanse films, en ik was er trots op aan de ceremonie deel te nemen en me voor één keer verbonden te voelen met zijn wereld. Ik vond alles heerlijk aan deze brandende dagen, de bittere geur van de stuivende zakken tarwe die het symbool waren van overvloed en die de vader van Gauvain bij het vullen onder aan de dorsmachine nauwlettend in het oog hield opdat geen korreltje van zijn schat zou vallen; de 'pauze' rond drie uur, een feestmaal van spek, pâté en donkergele klonten boter die in een dikke laag op de sneden van het zespondsbrood werd gesmeerd en waarbij onze Parijse 'vieruurtjes' karig afstaken; en zelfs de vloeken van de mannen telkens als de drijfriem losschoot die ze moesten terugleggen over de riemschijf, terwijl de anderen van de gelegenheid gebruik maakten om hun uitgedroogde kelen te bevochtigen met een flinke teug cider; en ten slotte, toen alle zakken in de loods klaarlagen voor de molenaar, het *fest-noz*, het Bretonse oogstfeest waarvoor het varken was geslacht.

Iedereen verkeerde die avond in een staat van extreme vermoeidheid die grenst aan dronkenschap, verbonden in de voldoening over de volbrachte arbeid, over de oogst die binnen was, omspeeld door die typische schemering van eind juli die maar niet wil overgaan in de nacht, zoals in dat jaargetijde in Bretagne vaker voorkomt wanneer de duisternis het licht niet kan verjagen. De dag draalt, verzet zich en je koestert de hoop dat eindelijk, voor één keer, de duisternis wordt overwonnen.

Ik zat naast Gauvain, smachtend dit gezegende ogenblik met hem te delen maar niet in staat het duidelijk te maken. Over de natuur spreekt een boer slechts aarzelend. We bleven zwijgen, onbeholpen, gehinderd door het feit dat we ouder waren geworden. We hadden gebroken met de grootdoenerij en de kinderspelletjes maar er was niets voor in de plaats gekomen. De jongens Lozerech en de meisjes Gallois waren bezig zich elk in hun eigen sociale klasse in te spinnen na de kunstmatige verpozing van de kinderjaren en ze bereidden zich erop voor hun betrekkingen te beperken tot een hoofdknik en een gelegenheidsglimlach, wat mensen doen die elkaar in hetzelfde dorp tegenkomen maar elkaar niets meer te zeggen hebben, zelfs geen scheldwoorden. We zeiden nog 'jij' tegen elkaar, we informeerden beleefd naar het werk of naar de visvangst: 'Heb je veel opgehaald?' – 'En hoe gaat het met je examens?'; we luisterden afwezig naar de antwoorden, schelpen als het ware die zelfs niet meer van het strand worden opgeraapt, 's winters.

En dan die avond, aarzelend tussen dag en nacht, tussen droom en werkelijkheid... Bij het afscheidnemen deed Gauvain, ondanks de vermoeidheid die zijn trekken verzachtte, ineens het voorstel 'nog even naar Concarneau te gaan', wat zonder geestdrift werd ontvangen aangezien iedereen het liefst naar bed wilde. Eén van de broers deed toch mee en ik haalde alle dwangmiddelen die ik tot mijn beschikking had uit de kast ('je krijgt mijn Rosy behaatje, die ene met kant... of mijn fles Canoë de Dana') om Yvonne over te halen ook mee te gaan zodat ik niet het enige meisje zou zijn. Gauvain was een van de weinige mensen in het dorp die een auto had, een oude Eend, waarin hij zoveel personen stouwde als er maar in konden. Mijn zus was niet van de partij: als je vijftien bent ga je niet dansen in Concarneau.

Ik kende alleen maar het bal van de Technische Hogeschool, het 'Point Gamma', het jaarlijkse avondje van de aankomende ingenieurs; de danszaal Ty Chupenn Gwen was in mijn ogen even exotisch als een Indianenbal. Yvonne stond me vriendelijk bij in deze omgeving waar ik de enige met 'hondeharen' was in een troep luidruchtige en al aangeschoten mannetjesdieren. Maar hier zou ik in elk geval geen muurbloempje zijn, wat ik maar al te vaak was op avondjes in Parijs als mijn verlegenheid me achter de grammofoon verbande wanneer ik niet zelf voor de 'danspartner' had gezorgd die op de uitnodiging werd verlangd.

We zaten nog niet of Gauvain sleepte me, zonder me iets te vragen en voordat een ander het zou doen, de dansvloer op en hield me zo stevig vast in de buiging van zijn arm dat het leek of hij bij zwaar weer op zijn trawler een stag in bedwang moest houden. Ik voelde elke vinger van zijn hand op mijn flanken, echte handen, zei ik bij mezelf, die niet loslaten wat ze vasthouden, en niet die bleke, gedistingeerde, friemelende aanhangsels van de bleke, gedistingeerde jongemannen die ik in Parijs kende.

Hij danste als een man uit het volk, als de Coupeau van Gervaise of de arbeiders uit *l'Assommoir*, met een wiegelende schouderbeweging die te geprononceerd was om niet ordinair te lijken in mijn burgerlijke ogen. Niet eenmaal kruiste zijn blik de mijne en we wisselden geen woord. Hij wist niet wat hij moest zeggen en ik kon van mijn kant geen enkel onderwerp verzinnen dat hem zou interesseren. Wat kon een studente Geschiedenis en Klassieke Letteren bedenken tussen 'Hou je van *Lettres à un jeune poète?'* en 'Is er veel vis verkocht deze week?' dat ook niet in aanmerking kwam, om te zeggen tegen een jongen die het grootste deel van zijn tijd doorbracht op een trawler in de Ierse Zee? Door mijn verlegen natuur en het ongewone gevoel in de armen te liggen van Lozerech junior, kreeg ik geen woord over mijn lippen. Maar dat was van geen enkel belang want hij bleef me na elke dans vasthouden, wachtend tot de muziek weer zou beginnen. Hij rook nog naar zon en koren en ik had het gevoel dat hij me stuurde als een van zijn schoven, met de zwaarmoedige en geconcentreerde gelaatsuitdrukking die hem eigen was als hij aan het werk was.

Welke woorden hadden overigens het gevoel kunnen weergeven dat ons overweldigde en dat vanzelfsprekend volslagen onbetamelijk en absurd was? Het gevoel dat onze lichamen elkaar herkenden en dat ons gemoed – want het was niet ons verstand – verlangde naar eenwording, onbekommerd om alles wat ons zou kunnen scheiden op dit ondermaanse. Ik had uiteraard Plato in gedachten. In die tijd verwoordde ik mijn meningen en emoties uitsluitend met behulp van dichters en filosofen. Ik was er zeker van dat Gauvain zich door dezelfde betovering liet overweldigen, dat voelde ik. Zulke gevoelens komen nooit alleen ter wereld.

Eén wals en twee paso dobles hebben we standgehouden. We werden door 'Poema-Tango' in dezelfde windvlaag meegesleurd. De werkelijkheid vervaagde. Op een andere planeet hoorde ik de vrienden om ons heen hevig lol trappen om te maskeren dat ze steeds meer zin kregen de meisjes te pakken, die toeschietelijker waren geworden door de alcohol en enkele aftastende aanrakingen. Zonder het af te spreken en profiterend van de duisternis die plotseling was ingevallen, bevonden Gauvain en ik ons ineens buiten. Met het opperste egoïsme van gelukkige mensen vonden we dat Yvonne en haar broer wel vrienden konden zoeken om ze thuis te brengen, lieten we lafhartig het gezelschap in de steek en vluchtten we in de Eend.

Uiteraard nam Gauvain de weg langs de kust. In dit soort omstandigheden word je als vanzelf naar de zee getrokken. We wisten dat zij namens ons zou spreken en dat ze ons zou omarmen met haar moederlijke grootsheid, met haar milde stilte. Aan het eind van alle wegen stopten we even: bij Cabellou, Jument, Trévignon, Kersidan en op het strand van Raguenès. We keerden telkens weer terug want er bestond nog geen kustweg, alleen doodlopende wegen, het beeld van ons leven die avond. Hoe minder we spraken, hoe minder we in staat waren de stilte te verbreken die in onze harten zwol. Gauvain legde slechts zijn arm om mijn schouders, drukte me bevend tegen zich aan en streek zo nu en dan met zijn slaap langs mijn wang.

Bij Raguenès was het laagwater. De strook zand die door roerig water heen de kust met het eiland verbindt, glansde in het maanlicht. Links, aan de oostzijde, beschut tegen de heersende winden, was de scheiding tussen water en zand nauwelijks te ontwaren: de zee was volkomen glad. Aan de westkant rimpelde een licht briesje het zilveren, met een fosforescerend geruis afgezette laken. Alles was zo puur, leek zo op onszelf, dat we zijn uitgestapt om even in dat stille water te lopen.

'Zullen we gaan zwemmen?'

De gedachte was ineens in me opgekomen. Voor het eerst waren we samen op een strand. In die tijd gingen de Bretons zelden naar de zandplaat. Zwemmen vonden ze een dwaasheid voor toeristen. Ongetwijfeld hadden de zeelieden door de eeuwen heen veel te vaak hun 'rustplaats in het water' gevonden om het nog als een element van vertier te kunnen beschouwen. We hebben ons op eerbiedige afstand ontkleed, zonder naar elkaar te kijken. Ik had me nog nooit uitgekleed in het bijzijn van een jongen, maar het speet me dat Gauvain niet op z'n minst even naar me keek. Ik vermoedde dat ik mooi was in het maanlicht en minder spiernaakt dan in een slaapkamer, in het harde licht van een elektrisch peertje. Zowel om mijn voorkant te verhullen als om zijn voorkant niet te zien, ben ik als eerste in de zee gesprongen, aan de oostkant, vanwege het plezier de te gladde spiegel met sterren te bezaaien. Maar ik ben niet erg ver gegaan: al snel vermoedde ik dat Gauvain niet kon zwemmen. ''t Zou nergens goed voor zijn, behalve om langer te lijden als je door een golf bent meegesleurd, 's nachts, in een ijskoude zee,' zei hij. Ik merkte dat we heel anders tegen de zee aankeken. Gauvain en ik gingen niet met dezelfde persoon om en de echte kende hij.

We wentelden ons lange tijd in het huiverende water, lachend langs elkaar heen strijkend als twee gelukkige walvissen; we konden er niet toe komen het water te verlaten want we wisten dat we aan wal, op het droge, gelijk met onze kleren onze burgerlijke staat en conventies zouden aantrekken.

Het was een van die onwerkelijke nachten waarin een of ander fosforescerend plankton naar de oppervlakte stijgt, en bij elke slag, bij elke spat leek de zee vonken te knisperen. We werden langzaam maar zeker overspoeld door een golf van weemoed, in volkomen tegenspraak met wat we zojuist hadden meegemaakt, net of we een lange periode van hartstocht hadden gekend en een zo meedogenloze gebeurtenis als een oorlog zich opmaakte om ons te scheiden. Die gebeurtenis was bij ons de dageraad. De hemel werd in het oosten al lichter en bracht de aarde langzaam aan weer terug naar juister proporties.

Gauvain zette me voor mijn deur af. Het licht in moeders slaapkamer brandde nog; ze wachtte op me. Hij bleef op eerbiedige afstand en zei: 'Nou, tot ziens dan maar!' Hij had zijn gewone stem weer terug. Met een lichte aarzeling voegde hij er zachter aan toe: 'Wie weet tot gauw,' en ik antwoordde even vlak, met slap neerhangende armen: 'Bedankt voor heț thuisbrengen,' terwijl hij moeilijk anders had gekund aangezien onze huizen aan elkaar grensden.

Twee dagen later voer hij weer weg op zijn *Vaillant-Couturier* en ik zou hem die zomer niet weerzien want wij gingen begin september terug naar Parijs. Denk je aan zeemannen 's winters in je behaaglijke appartement? En welke loopplank kan worden gelegd tussen de brug van een trawler en de collegezaal Descartes waar meneer Pauphilet ons de mirakelen van Aucassin en Nicolette uit de doeken zou doen en ons de hoofse liefde zou laten ontdekken?

Hij liep naar zijn boerderij en de duisternis slokte hem al snel op. Mijn vochtige haren uitschuddend ben ik naar binnen gegaan. Ik moest eerst bij moeder langs voor ik naar mijn kamer kon en dat ontnam me ieder romantisch gevoel: wat ik had meegemaakt brokkelde al af en verdween als sneeuw voor de zon, een droom die ondanks de moeite die je ervoor doet vager wordt naarmate je verder ontwaakt, in een paar seconden, en die je met lege handen achterlaat. Maar ik heb het idee dat ik tot het eind van die zomer minder zeker heb voortgestapt en dat zich een ijle mist heeft gemengd met het blauw van mijn blik.

Totdat op een avond die zachter was dan andere, zoals Bretagne die wel meer kent op het keerpunt van de zomer, in mijn hart een gedicht voor Gauvain opwelde, een fles in zee die ik hem pas na lang aarzelen heb toegeworpen. Misschien zaten ze nu wel als jongens onder elkaar zich vrolijk te maken over de schuchterheid van die kleine Parisienne... 'Je weet wel, die lui in dat huis met het strooien dak, aan het eind van het dorp...' 'Die dochter is trouwens niet gek...' 'Och, vind je?'

Angst om mezelf belachelijk te maken weerhield me ervan dit gedicht naar Gauvain te sturen, het eerste liefdesgedicht van mijn leven.

> *Heel zuiver bij de oceaan*
> *Gingen wij samen zitten*
> *Jij was beschroomd als een kind-man*
> *Die Gide niet kent.*
> *De nacht was zacht als de nacht*
> *Maar ik kil als de eerste vrouw.*

Gauvain

We bleven aan de rand van de tijd
Aan de rand van verlangen en van de vrouw in mij
Jij man en ik jong meisje
Steil en stil
Als je soms bent met twintig jaar.

Ik keer vaak terug naar Raguenès
Ik die Gide ken
Om jouw vluchtende ogen te hervinden
En je schuwe en bevende mond.
Ik ben vandaag zacht als de eerste vrouw
Maar de nachten zijn kil als de nacht.

Ik zou je vanavond innig omhelzen
Met de smaak van zout op onze huid
Jij die zwerft over de Ierse Zee
In de heftige omhelzing van de golven
Ver weg van mijn twintig jaar
En van het zachte strand waarheen je me voerde
Om het fabeldier te vissen
Dat niet is opgedoken.

En jij?
Denk jij aan de ontmoeting wel eens
Met spijt om de kus die niet is gewisseld?

Weldra moest het huis voor een nieuwe winter worden gesloten, moest ik de zomer van mijn achttien jaren laten varen. Ik liet mijn gedicht achter in een herbariumschrift: het kwam onder in een lade bij de wrakstukken van de vakantie die door de tijd ontkleuren, een lege roze zeeëgel, een bronskleurige Kirbygrip haarspeld op een vergeeld stukje karton, een eenzame sok waarvan ik de wederhelft nog steeds dacht terug te vinden en een tarweaar die ik had opgeraapt van het erf van de Lozerechs, op de avond van het dorsen.

De volgende zomer heb ik het gedicht niet weggegooid. Ik bleef hopen dat het op een dag zou terechtkomen bij degene voor wie het was bestemd en dat het de onvergetelijke smaak van het eerste verlangen weer in hem zou oproepen.

2
DE BRUILOFT VAN YVONNE

Pas twee jaar later zag ik Gauvain weer terug. Hij had definitief voor de zee gekozen. Hij was inmiddels bootsman en was maar twee van de veertien dagen in Raguenès, tussen twee visvangsten in. Hij wilde in het najaar naar de École maritime du Rouz, de zeevaartschool in Concarneau, om eerste stuurman op een vissersboot te worden.

Zijn leven volgde het standaardpatroon: hij was net verloofd, 'want je kunt niet eeuwig bij je ouders blijven', zoals hij me had gezegd alsof hij zich moest verontschuldigen. Zijn aanstaande, Marie-Josée, werkte in een fabriek, ook al in Concarneau. Ze hadden geen haast. Ze wilden eerst in Larmor een huis laten bouwen op een stuk grond dat was nagelaten door grootmoeder Lozerech en waarvoor ze zich voor twintig jaar in de schulden hadden gestoken terwijl er nog geen steen was gemetseld.

In plaats van elkaar uit te schelden of te negeren gingen we elkaar uit de weg, in ieder geval ging Gauvain mij uit de weg. Ik vond het wel leuk dat die verrukkelijke jongen zijn ogen neersloeg wanneer ik hem tegenkwam in het dorp. Maar bij de plaatselijke winkeliers begon hij, zodra ik binnenkwam, met de andere klanten Bretons te praten om me onder de neus te wrijven dat ik niet zijn slag volk was.

Bij het huwelijk van Yvonne kon hij er niet omheen me voor de tweede maal onder ogen te komen. Ze wilde mij heel graag als getuige en Gauvain had beloofd getuige te zijn van haar aanstaande, ook een zeeman maar dan bij de Koninklijke, dat was voor haar een conditio sine qua non. De enige reden waarom Yvonne trouwde was dan ook om aan het boerenleven te ontsnappen: ze verafschuwde de aarde, de beesten die verzorgd moesten worden, de handen die in de winter vol kloofjes zaten, de klompen die zelfs op zondag onder de modder zaten en het hele leven dat ze op de boerderij leidde. Maar ze wilde geen dagvisser als haar broer Robert, een man die elke avond thuiskwam, die je 's morgens om vier uur wekte als hij naar zee ging en wiens handen altijd naar visaas roken; ook geen trawlnetvisser als haar twee andere broers. Nee, wat zij wilde was een vent die nooit een vis aanraakte, die een mooi uniform droeg en vooral een die maanden achtereen weg was, maanden die dubbel telden voor het pensioen, wat ze nu al in haar achterhoofd hield. Een vent ook door wie ze één of twee jaar naar Djibouti zou kunnen gaan, naar Martinique of zelfs met een beetje geluk naar Tahiti. En voor de rest van de tijd zou ze een mooi nieuw huis en rust hebben. Yvonne, die als kind nooit tijd had gehad om te spelen en alleen maar tijdens het eten even kon zitten – en zelfs dan nog moesten zij en haar moeder voortdurend opstaan om de zeven jongens te bedienen, plus de vader, plus de halve debiel die dienst deed als hun knecht – verlangde maar naar één soort geluk: 'met rust gelaten worden'! En telkens als ze deze formule uitsprak lichtte haar gezicht in een extatische glimlach op. Rust, dat was niet meer haar naam horen blaffen: 'Yvonne, kom je potverdorie nog eens met die cider of hoe zit dat? We hebben haast!... Yvonne, schiet op met die was, je broer heeft morgen zijn goed nodig...

Yvonne, word eens wakker, die koe doet het niet vanzelf...'

Het huwelijk leek haar een oase van gelukzaligheid.

De eerste de beste jongen die aan haar voorwaarden voldeed, was al goed. En dat hij een schrielhannes was die te klein was geweest voor het leger – hij had dispensatie moeten vragen voor de centimeter die hij te kort kwam... die vooral in zijn bovenkamer te kort kwam, zoals boze tongen beweerden – was geen onoverkomelijk bezwaar: ze schikte zich des te makkelijker in zijn lange periodes van afwezigheid.

Het moeilijkst was nog de bruiloft te organiseren en een datum vast te stellen. De drie broers die zeeman waren moesten gelijktijdig thuis zijn, wat nog maar zelden voorkwam nu ze niet meer op hetzelfde schip voeren; de broer die onderwijzer in Nantes was moest vrij zijn en ikzelf moest met vakantie in Raguenès zijn. En dan wilden de Lozerechs dat hun enige dochter een mooie bruiloft zou hebben met drie bruidsmeisjes in amandelgroene japonnetjes van organza en met gasten die in een touringcar uit heel Zuid-Finistère zouden komen.

En een mooie bruiloft zou het ook voor ons worden, voor Gauvain en mij, want er leek geschreven te staan dat feesten en officiële gelegenheden onze ondergang zouden betekenen!

Al om negen uur 's ochtends zat ik naast hem achter het eerste glaasje muskaat en we zouden de hele dag samen optrekken en een deel van de nacht en ook nog de volgende dag voor de 'afscheidsmaaltijd'.

Gauvain was onherkenbaar, op z'n zondags gekleed, zijn weerbarstige krullen vastgeplakt met een of andere pommade; hij leek op een wijze beer en liep met een stuurs gezicht rond. Ik droeg een pakje van grijsachtig beige tussor waaraan je de prijs wel af zag, schoentjes met een enkelbandje die mijn benen (waarmee moeder natuur het toch al goed had voorgehad) heel voordelig deden uitkomen en ik straalde de zelfbewuste welstand uit van iemand die nergens anders geboren had willen zijn dan in de donzige wieg waarin het lot hem heeft gelegd.

Die ochtend vertegenwoordigde ik alles wat hij verafschuwde, en dat wakkerde mijn plotselinge verlangen alleen maar aan om zijn ruwe bast te breken en me meester te maken van de kwetsbare pit die ik in hem vermoedde. De nacht op het eiland sluimerde diep in mijn herinnering, achter een te snel weer gesloten toegangspoort naar een land vol licht waarvan ik nauwelijks een glimp had opgevangen. Had ik het gevoel gedroomd dat me nog steeds in zijn ban hield? Had Gauvain hetzelfde ervaren? Ik wilde het me niet mijn hele leven op weemoedige avonden blijven afvragen. Gauvain zou nu met de billen bloot. Nu of nooit.

Tijdens de dienst hoefde ik het niet te proberen, ook niet tijdens het eindeloze poseren voor de foto op het voorplein van de minuscule kapel van Saint-Philibert, de geboorteplaats van de koninklijke schrielhannes. Een gemene zuidwester deed de linten van de mutsen wapperen en klapte de grote kragen om van de klederdracht die de moeders der beide jonggehuwden en een laatste slagorde van onverzettelijken droegen. Daarna kregen we een stortbui over ons heen en begonnen mijn kunstig aangebrachte natuurlijke krullen langs mijn wangen te klapperen.

Eindelijk besloot de fotograaf zijn schuilplaats van zwarte satinet en zijn uitschuifbare standaard in te klappen, wat het startsein was voor de stormloop op het Café du Bourg waar het *apéritif dansant* werd genuttigd. Maar daar dromden de mannen samen bij de bar en de jongens rond de gokautomaten zonder zich te mengen onder het vrouwenclubje.

Pas om twee uur 's middags zat ik in de eetzaal naast Gauvain, die hem al enigszins om had en zich voorbereidde, de argeloze schat, om zich te storten op de muskaat, de bordeaux, de champagne en de jajem die niet zouden ontbreken bij het traditionele bruiloftsmaal en waarop ik gokte om de waarheid boven tafel te krijgen. Dronkenschap is de medeplichtige van alle zwakheden.

We waren nog niet aanbeland bij de onvermijdelijke ossetong in madeirasaus, die de overgang van witte naar rode wijn aangeeft, of ik merkte dat ik in toenemende mate ontvankelijk werd voor het lichaam van Gauvain zo dicht naast me. 'Wit na rood slaat dood', zei mijn vader altijd, 'rood na wit verhit!' Hij scheen zich niet van mijn aanwezigheid bewust te zijn, wat ik toeschreef aan de nabijheid van zijn verloofde, rechts van hem, die er lief uitzag in een roze jurkje dat helemaal niet kleurde bij haar teint van een niet zo blonde blondine, bekroond door een schraal permanentje dat in deze contreien mooi werd gevonden, en voorgezeten door de boezem van de Engelse koningin, zoiets als één enkele borst die was opgepropt in een kussensloop. Moest Gauvain genoegen nemen met die weke golving? Ik werd langzamerhand dronken genoeg om medelijden met hem te hebben en te wensen dat hij zijn hand, zelfs beide handen, op mijn eigen borsten zou leggen, het liefst vandaag nog. Maar hoe kreeg ik hem zo ver? Ik overwoog zulke onfatsoenlijke handelingen... dat hij nog veel onfatsoenlijker zou zijn als hij er niet op inging. Later zou ik wel aantonen hoe fijnbesnaard mijn ziel eigenlijk was. Maar net als bij alle wellustige gebaren die ik gedurende mijn leven heb willen maken, kreeg ik mijn hand niet zo ver de beweging te maken die Gauvain uit zijn irritante onverschilligheid zou hebben gehaald. Mijn lichaam heeft kennelijk betere manieren dan mijn hoofd!

Terwijl de uren voorbijgingen, werd het bruiloftsmaal van Yvonne zo'n verveeld banket dat nooit ophoudt, met kruimels, sausvlekken en omgevallen glazen. De boerinnen maakten hun rokbanden wat losser en deden onder de tafel hun massieve, op de markt gekochte pumps uit die hen al sinds de ochtend kwelden; de mannen stonden in een rij bij de deur om hun blaas te legen en kwamen opgemonterd, hun gulp dichtknopend weer terug; de kinderen die door het dolle heen waren, zaten elkaar schreeuwend en stoelen omgooiend achterna, terwijl de nieuwbakken echtgenoot luidkeels met zijn makkers zat te lachen om toch vooral te laten zien dat hij de situatie goed in de hand had, en Yvonne met haar iets rood geworden neus en haar glimmende gezicht onder de krans van roosjes, kennis maakte met de eenzaamheid van de jonge bruid.

Ik wachtte op het bal dat de weg vrij zou maken, daar twijfelde ik niet aan. Maar de maaltijd was nog niet voorbij, er kwam weer leven in de brouwerij door de komst van de monumentale taart en de champagne, die het groene licht gaven aan de zangers. Een rits eigenzinnige oude mannetjes met stemmen die meer nog door de alcohol dan door de leeftijd bibberden, onthield ons geen enkel couplet van de eindeloze Bretonse klaagzangen die de jonggehuwden een aanlokkelijk toekomstbeeld voorschilderen vol eenzaamheid, verbroken beloftes en schipbreukelingen zonder graf.

We waren aanbeland bij het zevende couplet van *Recouvran-ance*, dat door een zangeres die dacht dat ze Rina Ketty was nog net niet helemaal om zeep werd gebracht, toen Gauvain op zijn beurt opstond en onder handgeklap van de aanwezigen *Bro Goz Va Zadou* inzette. Zijn diepe stem deed me de das om; nog een druppel en de emmer zou overlopen. Hij liet zijn stem met een vertederende zelfingenomenheid trillen op de lettergrepen die in het Bretons tegelijkertijd hard en hartverscheurend klinken en zijn bardenstem, die me deed denken aan Félix Leclerc, deed eer aan zijn machtige torso en de golvende spieren van zijn schouders die zich bijna onzedelijk aftekenden in zijn te smalle kostuum, wel erg krap gesneden door de kleermaker van Trégunc – die koppig doorging zulke natuurkrachten in getailleerde en nauwsluitende kostuums te persen, strak om het achterste en met ternauwernood plaats voor hun gewelfde dijen.

Marie-Josée gaf zelf het startsein voor de zoenpartijen die elk lied kracht bijzetten met het onvermijdelijke refrein:

> *Me-neer pastoor die wil niet*
> *Dat de kerels de meisjes zoenen*
> *Maar hij verbiedt niet*
> *Dat een meisje een kerel aanschiet…*

Nou, dan zou ook ik hem aanschieten, die dekselse kerel van Lozerech, en niet zo'n klein beetje ook en ik wilde als laatste, om me niet te mengen onder de blatende kudde die al in de rij stond om de mooie Gauvain te zoenen. Hij was opgetogen over zijn succes en lachte zijn sonore lach, de dwars afgebroken voortand ontblotend die hem het aanzien gaf van een aantrekkelijke vechtjas, zoiets als de zwarte lap voor het oog van een piraat. En ik hoefde me alleen maar opzij te buigen aangezien ik naast hem zat, en met mijn lippen die voortand aan te raken, heel snel als bij vergissing.

Hij keek me scherp aan en ik zag dat hij het eiland niet was vergeten.

Maar we moesten nog het *apéritif sangria* doorstaan in het Café du Port, wachtend op het orkest van Daniel Fabrice, uit Melgven, dat het bal zou opluisteren. Maar mijn tijd zou nu snel komen, daar twijfelde ik niet meer aan.

De danszaal was onheilspellend en kaal en hel verlicht en ik zag in een spiegel dat ik er niet bepaald op vooruit was gegaan sinds de ochtend. Vooral doordat talloze frisse gasten arriveerden, onder wie enkele vakantiegangers die ik goed kende en die kwamen kijken alsof ze de dierentuin bezochten. Als vanzelf werd ik in hun kringetje opgenomen dat per slot van rekening mijn eigen kringetje was. Ik wierp wanhopige blikken op Gauvain maar ik slaagde er niet meer in zijn aandacht te vangen, ik bestond niet voor hem.

Ik haalde een paar beproefde middelen van stal, ik hypnotiseerde hem door mijn blik op de basis van zijn nek te fixeren, ik straalde als een glimworm zodra ik meende me in zijn blikveld te bevinden, ik weigerde demonstratief de meest smachtende tango's met mijn vrienden te dansen en ik doolde met mijn ziel onder de arm het hele bal rond... Geen enkele list werkte en Gauvain nam bij al mijn favoriete dansen Marie-Josée in zijn armen.

Vooruit dan maar! Er zat niets anders op dan terug te keren naar mijn groepje en die lekkere lomperik uit mijn hoofd te zetten. Ik hoefde hier niets meer te verwachten, het bal was erbarmelijk en de boel was verknoeid en het was maar beter zo. Wat had ik naderhand met Gauvain moeten doen? Ik kon hem alleen maar kwaad berokkenen. Deze nobele gedachte was als balsem op mijn eigenliefde.

'Wacht je niet op de uiensoep?' vroeg de vader van Yvonne verbaasd toen ik afscheid ging nemen.

O nee! Ik wilde Gauvain en zijn schildwacht niet meer zien. Ik voelde me plotseling moe, ver verwijderd van deze familie Lozerech. Vlug heb ik Yvonne omhelsd voor ik er stilletjes tussenuit kneep met de mijnen. 'Je had alleen maar een mooie herinnering kunnen verpesten,' zei Frédérique heel wijs.

Haar opmerking maakte mijn ergernis alleen maar groter. Ik had geen behoefte aan mooie herinneringen op sterk water. Ik haat mooie herinneringen. Ik hou alleen van mooie vooruitzichten.

Ik was al in de tuin van het hotel, stappend over het dronken vlees dat langs het pad was gestrand en waarvan enkele brokken nog bewogen terwijl ze flarden van liederen uitkraamden of een arm ten hemel hieven om een of andere laatste zin uit te brengen, toen ik een hand op mijn schouder voelde die me deed schrikken:

'Ik moet je spreken,' fluisterde Gauvain dringend. 'Wacht vannacht op me bij de helling, ik kom zo snel mogelijk bij je. In ieder geval voor één uur.'

Het was geen vraag. Bovendien wachtte hij mijn antwoord niet af. Een paar kornuiten riepen hem en Frédérique wachtte ongeduldig in de auto. Maar ik nam alle tijd: ik liet zijn opmerking op me inwerken, haalde diep adem en werd overspoeld door een golf van geluk die me vulde met een vlammende vreugde en vastberadenheid.

Na de rokerige danszaal voerde de westenwind bij vlagen de doordringende geur mee van zeewier, een geur van seks. Ik ben eerst naar huis gegaan, vanwege het alibi. Ook om mijn duffelse jas te halen, daar ik wel voorzag dat hij me goede diensten zou bewijzen om me te beschermen tegen de ruwe ondergrond als

Gauvain zijn tachtig kilo op me zou uitstrekken. Voor alle zekerheid liet ik het gedicht in mijn zak glijden dat ik twee jaar eerder
voor hem had geschreven en dat in een lade lag te sluimeren.
Voor ik vertrok, liet ik het aan mijn zus lezen, die een gezicht trok.

'Het is erg jonge-meisjesachtig,' merkte ze op.

Ik vond het mooi! Word je niet weer een jong meisje telkens als
je je naar je minnaar haast?

Die avond vertoonde de maan zich niet. Het eiland van Raguenès tekende zich af, een nog zwartere massa tegen een zwarte zee
en alles leek onbeweeglijk als in afwachting van iets. Of eigenlijk:
ik was degene die ergens op wachtte. Voor de natuur was het een
zomernacht als alle andere.

Vanaf het eerste moment dat ik zat te wachten, werd ik omhuld
door het aangename gevoel van genot. Ik beleefde het beste dat
het bestaan te bieden heeft en ik was me ervan bewust. Die avond
zou ik, in alle dwaasheid, tien jaar van mijn leven hebben gegeven – nou ja, vijf dan! – opdat niets het verloop zou verstoren van
het stuk dat we zouden gaan spelen en waarin we nog geen van
beiden onze rol wisten. Wat betekenen een paar jaar ouderdom
als je twintig bent? Ik bereidde me voor op een nacht zonder ochtend, ontstolen aan het fatsoen, aan de voorzichtigheid, aan de
hoop zelfs en dat gaf me een soort woeste vreugde.

Eindelijk kwam Gauvain. Hij zette zijn auto aan de rand van de
klif, ik hoorde het portier dichtslaan en raadde zijn omtrekken in
de duisternis. Hij zal me wel in het licht van de koplampen hebben
gezien, want hij holde meteen de rotsachtige helling af. Ik was
met mijn rug tegen een op het zand getrokken bootje gaan zitten
om me tegen de wind te beschutten, de armen om mijn knieën
geslagen in een pose die me zowel sportief als romantisch toe-
scheen... Als je twintig bent let je heel erg op je houding. Gauvain
greep mijn beide handen om me sneller op te trekken en voordat
ik een woord had kunnen uitbrengen, drukte hij me heftig tegen
zich aan, zijn been meteen tussen de mijne, zijn mond opende de
mijne, mijn tong klampte zich vast aan zijn kapotte tand, mijn

hand voor het eerst onder zijn jasje, in zijn geurige warmte, mijn vingers drongen door in de ontroerende holte die ontstaat tussen de broeksband en de welving van de rug, tussen de spieren van de lendenen, bij sommige mannen. Geluidloos begon het te regenen en we bemerkten het niet ogenblikkelijk, zo ver waren we heen. Ik dacht even dat Gauvain huilde en ik maakte me van hem los om zijn ogen te zien... Over zijn voorhoofd hingen al glimmend natte lokken neer, regendruppeltjes flonkerden tussen zijn ge- krulde wimpers. Misschien waren het toch wel tranen. Onze monden voegden zich samen, lieten elkaar los en begonnen la- chend weer overnieuw, glibberig van het hemelwater dat verruk- kelijk smaakte, en de zwartheid van de lucht en de melancholie van het natte strand en het kippevel van de zee onder de druppels sloten ons van alle zijden in, weekten ons los van de ongedurig- heid van die dag en dompelden ons onder in de nauwelijks te ver- dragen eenvoud van de liefde.

De regen begon zich een weg te banen achter onze kragen en het zuidwester briesje zwol aan, maar we konden al niet meer van elkaar scheiden. Gauvain duidde met een beweging van zijn kin op de vervallen hut op het eiland, waar nog een deel van het strooien dak op zat, steunend op een laatste balk. Ik glimlachte: daar hadden we onze hele kindertijd gespeeld!

'We hebben genoeg tijd,' zei hij, 'het blijft laagwater tot een uur of twee 's morgens.'

We holden over de strook zand die het eiland bij eb verbindt met de kust, ik verzwikte mijn enkels op het zeewier en Gauvain, die met zijn husky-ogen in het donker kon zien, hielp me op het grazige plateau te klimmen tot aan onze hut... of wat daar nog van over was. Buiten adem vatten we elkaar zonder te spreken bij de hand, opgaand in de ernst van het genot zo sterk te verlan- gen naar wat we straks samen zouden gaan doen, daar, in die be- denkelijke schuilplaats, zonder ons te bekommeren om ver- leden of toekomst. Wanneer het hele leven zich samenbalt in het nu en het je gelukt al het andere te vergeten, bereik je misschien wel de meest intense vorm van vreugde.

We zochten beschutting in de enige droge hoek van de ruïne op een ondergrond van aangestampte aarde en ik prees mezelf gelukkig dat ik mijn duffelse jas had meegenomen. Ik wist niets anders uit te brengen dan: 'Ben jij dat? Zeg me dat jij het bent... In het pikkedonker twijfel ik eraan.' ''k Wist wel dat we elkaar op een dag terug zouden vinden, ik wist het,' antwoordde hij terwijl hij mijn gezicht streelde om me beter te kunnen zien, hij gleed langs mijn schouders onder mijn blouse, langs mijn nek, mijn middel, vormde me stukje bij beetje in het prachtige materiaal van de verwachting.

Ik had nog niet vaak gevreeën in mijn leven. Met mijn twintig jaar had ik alleen nog maar Gilles gekend, die me had ingewijd... in niets, want we wisten geen van beiden wat je met geslachtsdelen kon doen. En daarna Roger, wiens intelligentie me stom van bewondering maakte en niet in staat tot enig oordeel, zelfs niet als hij tussen twee natuurkundige uiteenzettingen door een vluggertje maakte op de Marokkaanse sprei in zijn studentenkamer met stromend water op de overloop, in vier of vijf rakketakken, voorafgegaan door nauwelijks meer kielekieles bij wijze van startsein. Ik moet er ondanks mezelf telkens weer aan denken als ik een violist zie die een snaar van zijn instrument met zijn middelvinger laat trillen en haar weer loslaat als het gewenste effect is bereikt, of als hij denkt dat het is bereikt. Als hij in me kwam deed hij vriendelijk een poging een paar keer 'ik hou van je' te pruttelen en ik antwoordde 'ik hou van je' om mezelf moed in te spreken en om een beetje bezieling te leggen in dat kwartiertje waar ik iedere keer met dezelfde hoop op wachtte en dat me zichtbaar achterliet zonder de oppervlakkige bevrediging die hij eraan ontleende. Maar aangezien hij me nooit iets vroeg en regelmatig overnieuw begon, was ik wel in orde en was de 'lichamelijke liefde', zoals ik dat destijds noemde, niet meer dan dat. Ik had liever voor, hij na. Misschien berustte het fameuze verschil tussen de seksen wel daarop.

Ik weet niet meer of Gauvain toen al zo goed liefkoosde als later. Liefkozen deden ze in die tijd in zijn milieu niet veel. En in die tijd liet ik me ook niet gemakkelijk liefkozen. Ik vond Roger heel normaal. Je kunt mannen niet vervelen met 'nee, iets hoger' of 'au, niet zo hard!...' of erger nog 'een beetje meer, alsjeblieft'. Want als je ze lastig valt, lijk je onverzadigbaar en dan gaan ze elders meisjes zoeken die altijd tevreden zijn, die hun toverstokje vereren en hun gewijde olie met communicantengezichtjes tot zich nemen. Dat was tenminste wat in mijn omgeving werd gezegd, en hoe zou ik dat hebben moeten verifiëren? Openhartigheid was niet gebruikelijk tegenover de mannetjes: ze spraken niet dezelfde taal als wij. Je bent van je sekse als van een bepaald land.

Die nacht werd voor het eerst de grens geslecht, alsof onze lichamen elkaar altijd al hadden gekend, en op het ritme van hetzelfde verlangen werden onze verschillen langzaam aan weggevaagd, alsof we op elkaar hadden gewacht om eindelijk de liefde te bedrijven en ons eindeloos in elkaar te verliezen, niet in staat het genot om klaar te komen uit te putten door klaar te komen en al in het dal van het voorbije genot de eerste tintelingen voelend van het toekomstige genot. We beleefden een van die eindeloze nachten die maar een enkele maal in een mensenleven voorkomen.

Het opkomend getij riep ons terug naar de aarde: Gauvain hoorde ineens het geluid van de golven die naderbij kwamen. Die man wist altijd hoe het met de zee was gesteld.

'Als we er nu niet subiet vandoor gaan, moeten we terug zwemmen,' kondigde hij aan en begon in het wilde weg om zich heen te graaien naar onze kleren die overal op de grond lagen. Mijn beha was verdwenen en ik ging hem maar niet zoeken. Mijn naam stond er per slot van rekening niet op. Het lukte Gauvain niet om de natte knopen in de knoopsgaten te krijgen die waren gekrompen door de regen en ik hoorde hem vloeken in het donker. Eindelijk, zo goed en zo kwaad aangekleed als het ging, ik met mijn idiote handtas alsof ik uit een tearoom kwam, gekke Gerrit met zijn broek om zijn nek geknoopt die nat werd van de regen maar in ieder geval niet in het zeewater kwam, holden we, terwijl we maar nauwelijks onze slappe lach konden bedwingen en we in de plassen wankelden, naar de doorgang waar al een sterke stroming stond. Terwijl we elkaar stevig vasthielden om niet meegesleurd te worden, lukte het ons maar net de doorwaadbare plaats over te steken, met het water tot aan de buik. Is er een mooiere manier om de liefde af te wassen?

De Eend scheen ons buitengewoon comfortabel en droog toe terwijl wij met veel moeite onze klamme kleren in orde brachten. In het dorp parkeerde Gauvain zijn auto op het erf van de boerderij en bracht me lopend naar huis. De weg rook naar de warme stal en vaag was het geluid te horen van beesten op het stro. Ook wij verlangden naar de milde warmte van een stal maar we moesten naar huis, elk naar zijn eigen leven. Het was plotseling koud en we vluchtten voor de laatste keer in de warmte van onze monden die zich met elkaar verenigden.

'Ik heb iets voor je,' fluisterde ik terwijl ik het natte gedicht uit mijn tas haalde. 'Je zult me wel belachelijk vinden... maar ik heb het geschreven na die avond, je weet wel... twee jaar geleden.'

'Dus jij ook?' vroeg Gauvain met zijn nachtstem. 'Ik dacht dat...'

'Maar jij liet juist nooit iets merken!'

''t Leek me beter voor ons allebei. En vanavond, nou ja, toen was het sterker dan ik en dat neem ik mezelf kwalijk. Eigenlijk ben ik een smeerlap.'

'Waarom? Omdat je verloofd bent?'

Hij haalde zijn schouders op.

''k Heb me verloofd om me tegen jou te verweren... in ieder geval tegen wat ik me in m'n hoofd zou kunnen halen. 't Was bij voorbaat al een verloren zaak tussen ons, dat heb ik altijd geweten. En ik had je vanavond niet moeten meenemen, dat is een stomme streek. Vergeef me.'

Hij liet zijn dichtbekrulde ramshoofd op mijn schouder vallen. Hij ademde zwaar. Ik had hem willen uitleggen dat de enige onvergeeflijke stomme streek is weerstand te bieden aan een van de momenten waar het leven zo zuinig mee is, dat voorvoelde ik al. Maar hij zou het niet hebben begrepen. Hij leefde niet met zulke uitgangspunten. En verder ging het nog twee keer zo hard regenen, rook mijn duffelse jas naar natte hond, drong de modder in onze schoenen en beefden we van kou en weemoed. Gauvain ook van woede. Hij had zich laten gaan in zijn gevoel, dat strookte niet met zijn levensopvatting. Ik voelde dat hij verstrakte, haast had zijn zekerheden, zijn goed geordende wereld te hervinden.

'Ik vergeef het je,' zei ik, 'als je me zweert dat we elkaar terugzien voordat je deze winter met je opleiding begint. Eén keer, één echte keer, in een echt bed... en zonder angst voor het tij. Ik zou je beter willen kennen voor ik je vergeet.'

Gauvain drukte me vaster tegen zich aan. Me vergeten, dat kon hij al niet meer.

'Va Karedig,' mompelde hij, 'ik durf het je niet in het Frans te zeggen. 't Is dat het zo donker is... Ik kan je niks beloven... 'k Weet het niet. Maar je moet weten...'

Hij maakte de zin niet af. Ik wist wel dat hij visser was, verloofd, doordrongen van het begrip van goed en kwaad en van remmingen en van de wil om een 'fatsoenlijk mens' te zijn, zoals hij altijd zei. Maar ik wilde onvergetelijk voor hem zijn, ook al zou ik zijn huwelijk verpesten, met de argeloze wreedheid van een jong meisje dat geen moment de schrale troost dat een geliefde man in vrede met iemand anders leeft, afweegt tegen het geraffineerde plezier dat zij een ongeneeslijk gevoel van weemoed in hem heeft achtergelaten.

'Kenavo... A Wechall,' voegde hij er zachter aan toe. En toen hij zich van me losmaakte zei hij, met dat ruwe Bretonse accent dat de woorden afkapt en dat ik zo graag hoorde: 'Wat Parijs betreft, doe 'k m'n best.' En hij stak zijn rechterhand op als om te zeggen ik zweer het, tot ik de lage deur van het huis achter me sloot.

3
PARIJS

Tijdens de belangrijke momenten van het bestaan, geboorte, ziekte en dood, verval je vaak in opperste banaliteit en komen er over je lippen kant-en-klare uitdrukkingen die zijn ontsproten aan de volkswijsheid en die beter dan verheven taal de diepgewortelde reacties verwoorden.

Sinds Gauvain zijn belofte heeft gehouden en voor een paar dagen naar Parijs is gekomen, kan ik niet meer slikken of slapen; mijn keel is letterlijk dichtgeknepen, mijn maag zit in de knoop, mijn hart gaat tekeer en ik heb pap in mijn benen, alsof de geslachtelijke functie alle andere lichaamsfuncties heeft stilgelegd. En ik ben ook getroffen, een uitdrukking waarvan ik de juistheid nu volledig kan beamen, door hevige brand in mijn kut. Ik zal drie dagen lang moeten rondlopen met die vurig gloeiende plek in mijn binnenste, het brandmerk van Gauvain, zoals O de ring tussen haar benen heeft.

'Weet je dat mijn... je weet wel waar ik aan denk, in brand staat?' zeg ik tegen Gauvain, want ik durf niet zomaar, zo snel al, 'kut' te zeggen. We kennen elkaar per slot van rekening niet zo goed.

'Waar *ik* aan denk staat in brand,' antwoordt hij vleierig, aarzelend tussen plezier om het eerbetoon aan zijn mannelijkheid en verbazing om mijn openheid die hij niet had verwacht bij iemand met mijn achtergrond.

Ik vind het heerlijk hem te choqueren, het is zo gemakkelijk! Hij heeft vastomlijnde ideeën en in zijn wereldbeeld worden dingen en mensen voor eens en altijd ingedeeld in hermetisch gesloten hokjes.

Terwijl ik een verzachtende zalf smeer op het getroffen gebied, verbaas ik me erover dat erotische schrijvers nooit rekening schijnen te houden met dit... genotsongeval. De vagina's van hun heldinnen worden voorgesteld als onverwoestbare kanalen die tot in het oneindige de invasie van vreemde elementen kunnen verdragen. Die van mij voelt aan of ze levend is gevild. Ik bekijk de boel in mijn vergrotende spiegel en ik herken mijn fatsoenlijke vulva niet meer die gewoonlijk zo onopvallend, zo keurig is. In plaats daarvan heb ik nu een razende, onbeschaamde, uitbundige abrikoos waarvan het vruchtvlees uit de schil is gebarsten en alle ruimte in beslag neemt, kortom volslagen schunnig. En schrijnend. En niet in staat om zelfs maar een sliertje vermicelli binnen te laten.

En toch zal ik straks alweer toelaten, wat zeg ik verlangen, dat Gauvain opnieuw het roodgloeiende ijzer hanteert en zijn heipaal in me brengt die, tegen alle natuurkundige wetten in, als hij eenmaal de pijnlijke drempel is gepasseerd zijn eigen plekje vindt, al is het een beetje krap zoals van een kledingstuk wordt gezegd.

In normale omstandigheden zou ik om een staakt-het-vuren hebben gevraagd, we hebben echter maar zo weinig tijd! En tegen alle verwachtingen in, terwijl ik had aangenomen dat ik er na een tijdje wel genoeg van zou krijgen en me voldaan zou terugtrekken, ga ik steeds meer onthoudingsverschijnselen vertonen. Zijn voortdurende nabijheid, zijn geur van koren, de verbijstering dat

ik onophoudelijk naar hem verlang, leggen beslag op al mijn zinnen. Dus lig ik 's nachts wakker en tracht ik hem in te drinken als
hij slaapt, en voed ik me overdag met zijn schoonheid, met de
strelingen van zijn handen die als ik ze op een tafel zie zo hard en
ruw lijken en die in fluwelen handen veranderen zodra ze me
aanraken. Uit een gevoel van gepastheid en om ons enigszins te
weer te stellen tegen het beest, bezoeken we tussendoor de Eiffel-
toren, de Arc de Triomphe, het Louvre... De toeristenroute na de
minneroute. Omdat Gauvain nog nooit in de hoofdstad is geweest, neem ik hem mee op een rondvaart. Maar onze uitstapjes
duren niet lang: innig gearmd, door liefde gekweld, doen we aanvankelijk net of we rondslenteren als keurige voetgangers, totdat
een te duidelijke blik op mijn borsten, een onwillekeurige aanraking van zijn harde dijbeen, een oogopslag waarin ik iets anders
bespeur dan belangstelling voor de gevel van het Louvre, ons te-
rugdrijven naar onze hotelkamer waarbij we de haast waarvoor
we ons een beetje schamen nauwelijks kunnen verhelen.

We stoppen even bij een café: mijn keel wil alleen sterke drank
en wijn doorlaten en met elk glas wordt onze intimiteit iets groter
en vergeten we de afstand die ons scheidt.

'Wat spook je daar uit, Lozerech? Kun je me dat uitleggen?'

''k Ben net zo verbaasd als jij, maar als je me wilt volgen dan
proberen we het uit te zoeken,' antwoordt Gauvain in een poging
grapjes te maken over een vraag die hem zichtbaar dwars zit.
Maar onder het praten drukt hij zijn been tegen het mijne en
meer hebben we niet nodig om te ontsnappen aan het domein
van de rede. Overmeesterd, zelfs niet in staat tot spot, slaken we
samen zo'n onwillekeurige zucht die de bandeloosheid van het
lichaam benadrukt.

Het waren verschrikkelijke en heerlijke dagen. Heerlijk omdat
ik tot mijn schande aanleg heb om voor het moment te leven. Verschrikkelijk omdat ik voelde dat Gauvain bereid was mij zijn leven aan te bieden en omdat hij het niet een tweede keer zou doen.

Pas de laatste avond vonden we de moed om te praten, in zo'n behaaglijk restaurant waarin je het idee krijgt aan de wreedheid van het bestaan te ontsnappen. Op onze kamer was het niet mogelijk: onze handen maakten te snel een einde aan woorden. Vooral omdat we bang waren voor de waarheid. We waren daar per slot van rekening alleen maar bij vergissing. We waren uit ons leven gebroken en dat zou ons bezuren.

Terwijl ik zo goed mogelijk de stukjes van de tong die ik niet door mijn keel kreeg onder het vel en de graten schoof, deed Gauvain, al etend met de geconcentreerde toewijding waarmee hij alles deed, me zijn toekomstvisie uit de doeken alsof hij een contract met zijn reder besprak. Hij stelde me in één adem voor zijn verloving te verbreken, van beroep te veranderen, cursussen te volgen, welke dan ook, zich in moderne kunst en muziek te verdiepen, te gaan lezen, de grote schrijvers om te beginnen, zijn accent af te leren en, als dat allemaal achter de rug was, met me te trouwen.

Hij zat daar aan de andere kant van het tafeltje, zijn knieën om de mijne onder het tafelkleed, met heldere blik – bracht hij geen loyaal offer – maar meer in verlegenheid gebracht naarmate hij duidelijker in mijn ogen las dat het zelfs niet genoeg zou zijn als hij zijn leven zou geven.

Ik had hem niet meteen willen antwoorden, hem willen zeggen dat we erover konden nadenken, niet in een paar woorden een zo vurige liefde de nek omdraaien. Tegelijkertijd speet het me dat hij zo naïef was. En welke man zou me ooit weer zo'n gul, zo'n krankzinnig aanbod doen? Helaas! Gauvain ging alleen in zee met ja of nee. Hij rukte liever zijn hart uit en gooide het ver van zich af dan mee te werken aan een compromis en me te zien zonder dat ik hem toebehoorde.

Ik bleef zwijgen omdat ik hem in ruil niets kon bieden dan onserieuze zaken waarop je geen leven bouwt: mijn intense verlangen naar hem en mijn genegenheid. Ik wilde mijn studie niet afbreken, noch zeemansvrouw worden, noch in Larmor-Plage wonen met zijn vrienden en Yvonne als schoonzus, noch mijn zondagen doorbrengen bij het voetbalveld van Lorient om hem te zien rennen in het 'strafschopgebied'. Het ergste was nog dat ik zijn offer niet wilde, ik wilde dat hij hetzelfde beroep hield, zijn accent, zijn kracht en zijn gebreken. Hoe kon ik weten of ik van hem zou houden als hij vermomd zou zijn als ambtenaar of zelfs als scheepstimmerman, zonder de weerschijn van de golven in zijn ogen? En of hij nog van zichzelf zou houden? Maar mijn argumenten sloegen niet aan. Zijn gezicht verstrakte en hij leek ineens ontoegankelijk, hoewel hij een trilling bij zijn mondhoeken nauwelijks in bedwang kon houden. Mijn God, wat hield ik van hem, wat hield ik van de tegenspraak tussen zijn kwetsbaarheid en de onstuimigheid die zijn ware natuur uitmaakt en die nooit ver weg is. Mijn liefde voor hem werd nog verrijkt door zijn verdriet en ik zou het hebben verdiend als hij me daarom had geslagen.

Toen we het restaurant verlieten en ik mijn arm om zijn middel wilde slaan, maakte hij zich ruw los.

'Ik kan net zo goed vanavond al vertrekken, nu de zaken er zo voor staan,' zei hij toonloos. 'Zonde om nog voor een nacht in het hotel te betalen.'

Een nacht verliezen vond ik een ontoelaatbare schending van het leven, een belediging van wat ons was geschonken. Maar ik kon hem niet overtuigen. Lozerech ging terug naar de zijnen, vol wrok jegens stadse meisjes die met je leven sollen en er vervolgens vandoor gaan, met onbezwaard gemoed. Hij was bezig zichzelf een versie voor te schotelen die in ieder geval genoegdoening zou geven aan zijn levensvisie.

'Je krijgt misschien nog eens spijt dat je alles hebt geweigerd wat ik je wilde geven. Misschien zit je te ingewikkeld in elkaar om gelukkig te zijn.'

Hij durfde me niet aan te kijken. Hij keek me nooit recht aan als hij kritiek op me had. Net als iedereen die zich niet eens kan voorstellen wat het is om als kind overstelpt te worden met privileges en kennis, meende hij dat alles viel in te halen. Dat je door te werken zoals hij dat kon, in een jaar, op zijn hoogst vijf jaar, het juiste niveau zou hebben bereikt. Wat had je aan moed, aan verbetenheid als je daarmee niet over een drempel als deze kon komen? Hij zou me niet hebben geloofd als ik had gezegd dat je met boeken en inspanning niet alles kunt leren. Hij zou de wreedheid van dat onrecht niet hebben toegegeven.

Ik koos voor minder goede redenen, die voor hem echter acceptabeler waren, kleingeestiger ook, wat hem op een bepaalde manier geruststelde. Maar wie de taal van de rede spreekt, houdt het minst van de ander. Die waarheid kende Gauvain al.

Er ging die avond geen trein meer naar Quimperlé. Ik slaakte een zucht van vreugde: hij zou dus toch nog een keer bij me komen liggen, deze bruut wiens vijandigheid ik tastbaar voelde groeien. In het hotel vroeg hij om een andere kamer, maar die was er niet. Ik liet mijn voldoening niet merken.

Zodra hij op onze kamer was, pakte hij zijn koffer, smeet zijn spullen er lukraak in als in een film en kleedde zich zwijgend uit waarbij hij zijn geslachtsorganen voor me verborg bij wijze van vergelding. In bed rook ik weer de doordringende geur van warm koren maar hij keerde me zijn rug toe, de witte rug van een zeeman die nooit de tijd of de lust heeft gehad om in de zon te liggen. Zijn bruine nek leek los te zitten op zijn lichaam, als in sommige kaartspelen waarbij je hoofd en romp van de figuren kunt omkeren. Even liet ik mijn lippen over de scheidingslijn gaan en over de ineengedraaide krullen van zijn kinderlijke nek, maar hij gaf geen kik. De kracht van zijn weigering straalde van hem af als onderkoelde lucht die me zozeer verkilde dat ik plat op mijn rug bleef liggen, zonder te slapen, zo dicht bij hem als ik maar kon zonder hem aan te raken.

Toen ik halverwege de nacht voelde dat zijn weerstand verminderde, kon ik het niet nalaten mijn buik tegen zijn rug te drukken en mijn wang op zijn schouder te leggen. In de stilte van onze halfslaap had ik de indruk dat onze diepste wezens elkaar omarmden, weigerden afscheid te nemen en bitter de draak staken met mijn scrupules. Buiten ons om – of in ons? – wenkten onze geslachten elkaar zonder dat we het wisten en riepen ze elkaar. Gauvain wilde niets horen maar hij was niet meer kapitein op zijn eigen schip. Hij draaide zich plotseling om, wierp zich op me en, zonder zijn handen te gebruiken, drong hij in één keer door in waar hij zich geroepen voelde. Hij meende me te vernederen door meteen klaar te komen, maar zijn lippen bleven versmolten met de mijne en we zijn in elkaar in slaap gevallen, elkaar inademend, totdat de trieste dageraad aanbrak.

Op Montparnasse, in het vale licht dat eigen is aan stations, konden we elkaar niet omhelzen. Hij drukte alleen even zijn slaap tegen mijn wang net als bij onze eerste ontmoeting, voor hij in de trein stapte. Daarna keerde hij me meteen de rug toe om me zijn verweesde gezicht niet te tonen en liep ik naar de uitgang, mijn hart vol tranen, mijn hoofd vol argumenten, en beide kwamen voor zichzelf op alsof ze niet dezelfde persoon toebehoorden.

De voorbijgangers keurden me geen blik waardig, ik liep voort zonder het uitbundige verlangen dat ik gisteren nog kon opwekken, overgeleverd aan de onverschilligheid van de wereld. Ik huiverde van verlatenheid en vervloekte ons onvermogen om naar ons hart te leven, mijn onvermogen zeker, het onvermogen van Gauvain dat hij zou hebben ontdekt, later. Maar ik wist dat ik te zeer was ingesponnen door mijn dierbare vooroordelen die nog warm waren van mijn kinderjaren. En met de onbuigzaamheid die toen de plaats innam van mijn persoonlijkheid kon ik hem zijn gebrek aan cultuur niet vergeven, zijn gewoonte om de haverklap te vloeken, zijn voorkeur voor bedrukte jacks en voor sandalen waarin hij sokken droeg, zijn sarcastische gelach bij abstracte schilderijen die hij de dag ervoor in het museum in enkele zinnen die blijk gaven van een boosaardig gezond verstand had afgekraakt; noch zijn duidelijke voorliefde voor Rina Ketty, Tino Rossi en Maurice Chevalier, precies die zangers die ik niet kon uitstaan en die ik op mijn beurt in een paar besliste zinnen met de grond gelijk had gemaakt! Ik vergaf hem niet dat hij het brood in zijn handen sneed en zijn vlees van tevoren op zijn bord, noch dat hij een beperkte woordenschat had die twijfels opriep over zijn denkvermogen. Hij zou te veel bijgeschaafd moeten worden. En zou hij dat geaccepteerd hebben, hij die voor de cultuur een onbestemde argwaan had en er eigenlijk niet veel belang aan hechtte omdat hij geneigd was cultuur en snobisme over één kam te scheren? Worden eenvoudige mensen niet met mooie woorden in de boot genomen, en wordt 'het hele zootje', zoals hij dat zei, niet met mooie woorden voor de gek gehouden door de 'politiekers', zoals hij ook zei? Het was hem niet uit zijn hoofd te praten dat alle politici smeerlappen en praatjesmakers waren, behalve misschien de communisten op wie hij altijd stemde, minder uit overtuiging dan uit beroepstraditie. Aan boord leven de vissers in een collectief en worden ze op percentage betaald, afhankelijk van de opbrengst van elke vangst. Gauvain ging er prat op dat hij geen gewone loontrekker was.

Bij hen stonden vakmanschap, eerlijkheid en moed hoog in het vaandel; gezondheid was een goede eigenschap en vermoeidheid een tekortkoming verwant aan luiheid. Werk werd afgemeten aan zijn nut, nooit aan de moeite die het kostte of aan de tijd die ervoor nodig was.

Bij ons, Parijzenaars die flirtten met de artistieke avant-garde (mijn vader gaf een tijdschrift over moderne kunst uit), werd eerlijkheid een beetje belachelijk gevonden, behalve voor een dienstmeisje. Men had alle begrip voor mislukkelingen en nietsnutten als ze maar geestig waren en zich wisten te kleden, en een zekere vertedering voor mondaine alcoholici terwijl dorpse zatlappen geminacht werden. Met een visser pronken zou leuk zijn geweest voor een avond: mijn ouders waren dol op zeemansliederen, op de met een messing anker versierde leren riemen die aan boord werden gevlochten, op de grote Bretonse baretten die alleen nog door vakantiegangers werden gedragen en op de kunstmatig verkleurde kostuums van rood of marineblauw linnen die nog authentieker waren dan de kostuums van de vissers. Ze vonden het enig om 'kenavo' te zeggen als ze een winkel uit gingen en ze vonden het leuk dat de bakker Corentin heette. Mijn vader droeg zelfs, tien minuten per jaar, withouten klompen en de bijbehorende zwarte sloffen met blauwe stippen. 'Niks is handiger,' verkondigde hij, 'als je een tuin hebt.' Hij deed er nog net geen handvol stro in, 'dat is veel gezonder!'

Maar echte vissers van vlees en bloed, en dan niet bij de viskraam of aan boord van hun tonijnvissersboot of trawler waar ze er zo edel uitzagen, zo leuk ook met hun gele oliejassen en lieslaarzen ('Die kerels, petje af!'), goeiemensen! Maar een echte zeeman op het tapijt van een Parijs' appartement, met een bedrukt jack en met rouwranden onder zijn nagels, goeiemensen!

In 1950 waren de sociale hokjes nog hermetisch gesloten. Ik voelde me niet in staat Gauvain in mijn milieu in te burgeren, hem in mijn culturele sausje te weken. En ik wilde ook niet naar het zijne overgaan, met het vooruitzicht te verkommeren. Maar hij voelde even slecht aan hoe wreed mijn familie kon zijn en welk lot hem zou zijn beschoren als ik met hem was getrouwd, als hij de intellectuele eenzaamheid onderschatte die mijn deel zou zijn aan zijn zijde.

'Je moet niet zoveel heisa maken om te leven,' had hij de laatste avond met nauw verholen vijandigheid gezegd. 'Je moet het nemen zoals het komt.'

Maar ik had nou net wel die heisa nodig.

Hij had beloofd op te bellen voor hij zou afvaren, en dat vooruitzicht, ook al school daarin geen enkele hoop, verzachtte de bitterheid van de breuk. Maar hij kon niet omgaan met de telefoon, dat had ik moeten weten. Het toestel dat nog maar kort daarvoor was geïnstalleerd en in de gang van de boerderij hing waar iedereen langs kwam, vond hij een onzalig apparaat dat nog net goed genoeg was om een afspraak af te zeggen of het overlijden van iemand door te geven. Hij sprak luid en articuleerde overdreven alsof hij zich tot een dove richtte. Hij noemde mijn naam niet: dat hij aan de telefoniste had gevraagd hem met Parijs te verbinden, was al erg genoeg. 'Wat heeft die nou in Parijs te zoeken?' zal ze zich wel hebben afgevraagd.

'Je bent zeker niet van mening veranderd?' vroeg hij meteen.

'Het is geen mening, Gauvain, het is... ik kan gewoon niet anders. Ik wou zo graag dat je me begreep...'

'Je weet heel goed dat ik niks begrijp.' Stilte.

'Je gaat dus morgen weg?' hernam ik.

''t Zal wel moeten, niet?'

Gauvain had gelijk, via dat vreselijke apparaat kon je niet communiceren. Ik voelde me niet in staat er 'ik hou van je' in te zeggen. Om hem niet te laten ophangen, zei ik maar wat.

'Schrijf je me? Zul je me doorgeven waar ik een bericht heen kan sturen?'

'Da's niet zo simpel... 'k Trek bij de ouders van Marie-Josée in zolang ik bezig ben met m'n opleiding. Als ik in Concarneau ben zal 'k je een kaartje sturen.'

'Juist ja. Met de hartelijke groeten, hoop ik.'

Gekwetste stilte. Hij kreeg geen 'verdomme' over zijn lippen, in het apparaat.

'Nou, 'k moet er nu vantussen,' besloot hij en zonder te wachten gooide hij de hoorn op de haak van het zwarte apparaat tegen de houten wand.

4
DE VOLGENDE TIEN JAAR

De volgende tien jaar leidde ik zo'n druk leven dat ik geen tijd had om aan mijn eerste liefdes te denken. Later denk je er met verlangen aan terug, wanneer de tweede liefde, waarvoor je je leven op het spel hebt gezet, begint vast te lopen. Wat je niet hebt beleefd krijgt dan een geweldige aantrekkingskracht.

Op het ogenblik gaat mijn jeugd geleidelijk over in volwassenheid. Ik ben nog niet over de drempel van de dertig die zich bevindt aan het begin van een lange rij deuren waar je doorheen moet en die je stuk voor stuk confronteren met de beangstigende vraag: Ligt mijn leven nu definitief vast? Wat zal er nog voor essentieels met me gebeuren?

Wanneer je de zestig bent gepasseerd, lach je om de naïviteit van de jeugd. Je hebt ongelijk. Toen ik mijn derde decennium binnenging, ben ik een onschatbaar goed kwijtgeraakt: mijn zorgeloosheid. Tot dan toe had ik geleefd zonder ook maar enigszins rekening te houden met het feit dat ik sterfelijk was en dat ik, wat nog moeilijker te accepteren is, kwetsbaar was, dat mijn lichaam kon weigeren naar me te luisteren en me zijn eigen wet kon voorschrijven. Tot dan toe had ook alles wat ik beleefde de bekoring van de eerste keer, en dat gold zelfs voor verdriet.

In die zorgeloze tien jaar waarin ik mijn doctoraal Geschiedenis heb gehaald, na mijn kandidaats Klassieke Letteren, gaf ik colleges aan de Sorbonne; daarna ben ik met Jean-Christophe getrouwd, die toen chef-operateur was bij Gaumont-Actualités, en heb ik het leven geschonken aan een lichtblond jongetje met sproeten: Loïc Erwann Augereau.

Gauvain was hetzelfde jaar getrouwd als ik, in 1952, en voor Marie-Josée en hij tijd hadden om na te denken, hadden ze een gezin van vier kinderen. Na onze breuk had hij zijn koers meteen hervat, want hij was niet het type dat 'depressief ging doen', een formulering die hem ten voeten uit weergaf. Hij was net 'baas geworden', zoals zijn moeder zei en voer met een trawler bij Zuid-Ierland. 'Maar het valt niet mee,' was het enige wat ze erover zei, terwijl in haar blik heel even het verdriet doorschemerde waarover ze nooit sprak: haar jongste zoon Robert, veertien jaar oud, was twee jaar daarvoor midden in de nacht door een golf meegesleurd en zijn lichaam was niet teruggevonden. Sindsdien gaf ze minder blijk van minachting voor haar andere zonen wanneer het ze eens 'niet meeviel'.

Iedere zomer kwam Gauvain, zonder zich iets aan te trekken van de afkeuring van zijn familie, terug voor de tonijnvangst in de golf van Biskaje, een vorm van visserij die veel weg had van de jacht en waaraan hij de voorkeur gaf boven alle andere. Het was het beste moment van het jaar voor hem. 'Toeristen-visserij,' zei zijn moeder dan en haalde haar schouders op. Vooral omdat de witte tonijn zeldzaam werd aan de Franse kust in de jaren vijftig.

'Je broer verdient goed in Mauritanië met langoest,' zei ze sluw iedere keer dat haar zoon op de boerderij kwam met Marie-Josée en de kinderen.

'Ja, het schijnt dat de bodem daar bezaaid is met langoesten,' deed de schoondochter er nog een schepje bovenop met een verlekkerd gezicht. 'Het is dat we nou vier kleintjes hebben! En dan moet het huis nog afbetaald...'

Met haar drieëndertig jaar had Marie-Josée zich nadrukkelijk verschanst in het kamp van de huisvrouwen en sprak ze over haar kleintjes als een zoogdier. Ze behoorde tot het soort dat 'niet kan stilzitten' en was van 's ochtends vroeg tot 's avonds laat bezig het huis schoon te maken, in de moestuin te werken, de was te doen en alleen 's zondags om naar de mis te gaan trok ze haar jasschort uit dat door haar borsten die één geheel vormden uit model was geraakt. Door haar laatste zwangerschap had ze in één klap twee voortanden verloren en was ze tien jaar ouder geworden, waardoor ze voortijdig tot het ondefinieerbare leger van de kinderen-krijgsters was toegetreden. Voortaan leek ze meer op haar schoonmoeder dan op het meisje dat ze zo kortstondig was geweest en met wie Gauvain enige jaren eerder was getrouwd.

Hem kwam ik soms tegen in het dorp waar hij 's zondags jeu de boules kwam spelen als hij aan land was. De zwangerschappen van zijn vrouw hadden zijn schoonheid niet aangetast en hij bleef de jongen die de meeste harten brak in Raguenès en zelfs in Névez, Trégunc en Trévignon, tot in Concarneau toe! Ik had graag zijn schijnbare kalmte willen verstoren, willen weten of hij soms van mij droomde; maar hij was nooit alleen, zodat hij iedere toespeling kon ontlopen op dat enigszins dwaze uitstapje dat we ooit eens hadden gemaakt buiten onze lotsbestemming om.

Toen deze tien jaar aanbraken, was ik ervan overtuigd dat ze de meest beslissende en de kostbaarste van mijn leven zouden worden. Na afloop merkte ik met verbazing dat ik weer van voren af aan kon beginnen en met verbijstering dat ik van mijn 'tien mooiste jaren' er vijf ongelukkig was geweest. Dat was veel te veel en ik heb het mezelf lang kwalijk genomen dat ik zo in een gevoel van verlatenheid ben blijven steken. Maar eens moet je ervaren wat het is om ongelukkig te zijn en waarschijnlijk kun je dat als je vijfentwintig bent zonder onherstelbare schade. Ik ben helaas iemand die geen enkel zelfrespect bezit en tegelijkertijd heel goed tegen ellende bestand is: het heeft dus jaren geduurd voordat ik mijn huwelijkse staat ondraaglijk en, erger nog, ongezond begon te vinden. Ik heb er althans het gevoel aan overgehouden dat ik mijn draagvermogen tot op de bodem heb uitgeput.

Zou ik met Gauvain gelukkiger zijn geweest? Natuurlijk heb ik me dat wel eens afgevraagd. De verleiding is te groot! Daardoor kun je in het geheim de verlangens koesteren die zoveel getrouwde vrouwen erop na houden die, als ze vrij zouden zijn, toch weer dezelfde keus zouden maken. En trouwens, alles op z'n tijd, je kunt beter liefdesverdriet en een scheiding één voor één afwerken. Het is al ingewikkeld genoeg.

De dag waarop ik besefte dat ik vijf jaar lang naar geen enkele andere man had gekeken dan juist naar diegene die me verdriet deed, een geestesgesteldheid die zo gewoon is dat de slachtoffers, voornamelijk vrouwen, er niet ontmoedigd door schijnen te worden, kwam de bevrijding als een schok en het herstel als een weldaad. Mijn nachten vol tranen, mijn dagen vol twijfel en zelfverachting leken me des te afkeurenswaardiger daar ik er mijn al te zeer beminde man niet mee had teruggekregen; de man van wie ik tevergeefs had geprobeerd de chronische weemoedigheid en vervolgens de openlijke kribbigheid te begrijpen. De dag waarop mijn ellende de duidelijke vorm aannam van een regisseuse die al jaren met hem meeging als hij voor zijn werk ergens heen moest, begon er een lichtje te branden en mijn opluchting was zo hevig dat die nederige en goedgelovige echtgenote die ik was geweest binnen een paar dagen een vreemde voor me werd. En me daarna al heel snel een imbeciel toeleek. Ik was een tijdje boos op mezelf, terwijl ik achteraf nog tactieken verzon om ofwel Jean-Christophe weer terug te krijgen ofwel me sneller van hem te bevrijden. Die blinde, verlamde vrouw herkende ik niet meer! Maar kennelijk moet je een flinke tijd doorbrengen in een personage dat niet op je lijkt, voordat je wordt wat je bent. Of misschien ben je al die verschillende personages wel en moet je je bevrijden van de ene voordat je toegang krijgt tot de andere.

In ieder geval had ik me nu ontdaan van de nederige en deerniswekkende George als van een dode huid. Ik had tot het einde toe de rol op me genomen, ik had alle traditionele episodes doorgemaakt, alle replieken gegeven tot de ontknoping die zo volmaakt klassiek en alledaags bleek te zijn, dat het was alsof ik een scène beleefde die ik al honderd keer in de bioscoop had gezien. Ik ontdekte dat ik een gezonde aanleg had om gelukkig te zijn en een onverwachte neiging tot lachen en lichtzinnigheid. Want het ergste van ongeluk is niet zozeer dat je ongelukkig bent, maar dat je geen greintje zorgeloosheid meer bezit, dat je niet meer kunt lachen of, beter nog, de zo heilzame slappe lach kunt krijgen, waardoor je helemaal uitgeschakeld bent en je hijgend en blazend van je ergste spanningen verlost raakt. Ongeluk is hopeloos serieus.

Mijn eerste daad als vrije vrouw was het kopen van een fiets. Een symbolische handeling! Ongemerkt had ik van zoveel dingen afgezien sinds ik getrouwd was: een baan bij een lyceum in Abidjan omdat Jean-Christophe alleen in Parijs kon leven; het medeëigendom van een kottertje in Concarneau omdat Jean-Christophe last van zeeziekte had; groepsreizen naar Athene, Moskou, Mexico omdat Jean-Christophe niet tegen groepen kon, vooral niet als het om docenten ging, noch tegen georganiseerde vakanties, vooral niet wanneer ze georganiseerd waren door Tourisme et Travail dat indertijd meer leek op een horde padvinders dan op de Club Méditerranée; en ten slotte had ik afgezien van fietstochten door Frankrijk omdat mijn man een hekel had aan fietsen. Hij was daarentegen dol op motorrijden, zweefvliegen en bridge, drie bezigheden die in mijn ogen even verschrikkelijk waren.

Mijn tweede daad was het inklappen en naar de kelder brengen van de bridgetafel. Ik had mijn zondagen weer terug! Eindelijk verlost van die middagen waarop alleen het woord tot me gericht werd om (met recht) te klagen over mijn manier van bieden, en waarop onze meest briljante vrienden zich met ontstellende toewijding beperkten tot een elementair taalgebruik. Bij bridgen kan er niet gelachen worden; toch kon ik het maar niet serieus nemen, waardoor ik me de woede van mijn man op de hals haalde en onze zondagavonden verpest werden met het becommentariëren van de slagen van die middag in de hoop mij iets te leren en met het berekenen van hoe het spel zou zijn verlopen als ik bijvoorbeeld mijn harten op de juiste wijze had geboden.

Ten slotte heb ik het geboden, dat hart. En zonder al te veel brokken werd de echtscheiding uitgesproken tegen beide partijen, 'waarbij het kind aan de moeder werd toegewezen op grond van zijn jeugdige leeftijd', een verzachtende formulering die het zelfrespect spaart van de vaders, van wie de meesten het in die tijd als een ramp hadden beschouwd om als 'vrij' man met een kind opgescheept te zitten.

Ik heb Gauvain zelfs niet laten weten dat ik ging scheiden: hij zou het wel uit de geruchten te weten komen. We stuurden elkaar alleen bij familieaangelegenheden een wenskaart waarop ik soms een paar dubbelzinnige woorden kon neerschrijven die waarschijnlijk alleen ik begreep, om dat smeulende vuurtje van de herinnering brandende te houden dat nog onder de as lag te gloeien. Hoe dan ook, de liefde leek me op dat moment niet iets dat voorrang had.

Jean-Christophe was heel snel hertrouwd, en niet met de dame om wie ik zoveel gehuild had. Zo gebeurt het dat, wanneer twee mensen schipbreuk lijden, ook degene meegesleurd wordt die er de oorzaak van is geweest. Mijn vreugde was niet zo fatsoenlijk... maar fatsoen hing me de keel uit! Ik droomde van een onafhankelijk bestaan en van nieuwe uitzichten.

Toen me een baan werd aangeboden bij Vergelijkende Literatuurgeschiedenis in Wellesley, nam ik die enthousiast aan en reisde ik met mijn zoon van acht jaar af naar Massachusetts en ging daar wonen op zo'n Amerikaanse campus waar ik als meisje zo vaak van gedroomd had in de tijd dat ik in de donkere collegezalen van de Sorbonne zat en iedere avond braaf bus 'S' nam om weer naar mijn familie te gaan.

In 't hartje van het rustige Amerika aan het begin van de jaren zestig leefde de wereld van studenten en docenten in een beschermde oase, een toestand waar ik met wellust naar terugkeerde. Mijn leven was in materieel opzicht goed verzorgd en zelfs boeiend, en Loïc betekende voor mij dat kleine stukje Frankrijk waarzonder ik me helemaal verbannen zou hebben gevoeld. De spontane vriendelijkheid, de vrolijke en zelfs indiscrete vertrouwelijkheid die kenmerkend is voor de Amerikanen, welke plaats ze ook innemen in de hiërarchie, waren zo hartverwarmend dat ik al heel snel nauwelijks meer aan mijn echtelijke wederwaardigheden dacht en me zo vol vertrouwen voelde dat ik een nieuw huwelijk overwoog! Maar een jaar samen met Sydney, een collega die les gaf in Moderne Literatuur, was voldoende om in te zien dat ik op het punt stond weer heerlijk in de val te lopen. Want voortaan wist ik dat ik te meegaand was – of te laf? – om het hoofd te durven bieden aan een man van wie ik hield en om mijn territorium te behouden. Ik kende maar al te goed mijn neiging om me naar de levenswijze van de ander te schikken, uit een oude, moeilijk te onderdrukken reflex uit mijn opvoeding – en zonder enige moeite overigens, waardoor de ander niets vermoedde – tot de dag dat ik ontdekte dat mijn aandeel in het leven steeds kleiner geworden was, mijn vrijheden steeds minder en dat ik bezig was de machtsverhoudingen van mijn vorige huwelijk te reconstrueren!

Wat de mannen betreft, zelfs de Amerikaanse waren nog te zeer doordrongen van hun privileges – ook dat was een moeilijk te onderdrukken reflex uit hun opvoeding – om niet, zodra ze daartoe in de gelegenheid werden gesteld, weer in de aangename en comfortabele rol van groepsleider en pasja te vervallen.

Na een jaar bij Sydney was mijn spreektijd met de helft geslonken en mijn gezag volledig ondermijnd. Bij discussies in gezelschap liet ik hem het onderwerp bepalen, hij onderbrak me steeds vaker om zijn standpunt bij het mijne te voegen, en ik had steeds minder vaak het laatste woord. Als we tegelijk aan het praten waren, hield ik het eerst mijn mond en hoe briljanter hij uit de hoek kwam, des te matter ik werd, zonder te begrijpen waarom. In het dagelijks leven begon ik hem toestemming te vragen of ik weg mocht, zelfs voor een etentje van mijn werk; ik legde mijn pen neer of deed mijn boek dicht zodra ik zijn auto de garage hoorde binnenrijden en het kwam steeds regelmatiger voor dat ik zijn sokken waste en zijn onderbroek uit een hoek opraapte terwijl hij nog nooit mijn kousen in het sop had gezet of mijn jas aan de kapstok had gehangen.

Mijn terugval kondigde zich aan met nog nauwelijks waarneembare symptomen die onopgemerkt zouden zijn gebleven voor wie niet al een eerdere aanval van de ziekte te verduren had gehad. '*We* zeiden net, George en ik, dat...' Ja, *we* zeiden, maar *we*, dat was Sydney. '*We* hebben een heerlijke week in Maine doorgebracht, nietwaar, darling?' Darling stemde stilzwijgend in maar het verhaal over die reis werd niet door mij verteld, gekruid met humor om onze vrienden aan het lachen te maken, maar door Sydney. Hij betrok mij welwillend bij ons leven, maar uit aangeboren vriendelijkheid, uit grootmoedigheid, en niet langer uit de bezorgdheid, of althans het respect, waarvan enkele druppels nodig zijn in iedere huwelijkscocktail. Hij keek door me heen. Als we getrouwd waren, zou het uitlopen op *My wife thinks... My wife always says... My wife is a wonderful cook...* en de *wife* zou het weer met een stukje George minder moeten doen! Ik moest het al zonder 'S' stellen! En mijn voornaam bleef me zelfs hier parten spelen. Toch was George Sand in die jaren erg in de mode bij de Amerikaanse intellectuelen. Op verschillende universiteiten werd haar Correspondentie met de grote mannen uit haar tijd bestudeerd. Een vriendin van ons vertaalde *Consuelo* dat niemand in Frankrijk ooit de moeite van het lezen waard had gevonden. Er werden artikelen over haar gepubliceerd in *Women Studies* en men bewonderde zowel haar onafhankelijkheid in de liefde als haar carrière. In Wellesley heb ik ontdekt dat ze met vijftien jaar haar eerste boek had geschreven, dat haar roman *Indiana* een groot succes was geweest, dat ze Chopin negen jaar lang een thuis had geboden waar hij het mooiste deel van zijn oeuvre kon componeren, en vooral dat ze klein was en schoenmaat 35 had! Dat bracht al mijn ideeën aan het wankelen over de mannenverslindster die ons in Frankrijk werd voorgeschoteld met de trekken van een soort dragonder met donkere krullen, die, na een schandalig leven, enige 'boerenromans' had geschreven, zoals ze neerbuigend werden genoemd in het handboek der Literatuur van abbé Calvet.

Toch bleef er zelfs hier iets hangen van die reputatie van verdorven vrouw. 'Zo! Heet je vriendin George, zonder S?' zeiden onze collega's tegen Sydney op een toon vol toespelingen, alsof ik die voornaam zelf had gekozen met het doel minnaars te verzamelen, bij voorkeur nerveuze, geniale minnaars die jonger waren dan ik, en het huishoudelijk werk te verwaarlozen, wat volledig overeenstemde met het oordeel dat ze zich gevormd hadden over Françaises.

Omdat ik me domweg liet beïnvloeden door hun toespelingen, stelde ik er een eer in te bewijzen dat ik een intellectueel kon zijn zonder afstand te doen van de liefde of van mijn heilige taak als moeder en huisvrouw. Toevallig was ik gezond genoeg om al die rollen vrolijk vol te houden, leek Loïc een gelukkig kind en bewoog Sydney zich handig door mijn leven. In het nauw gedreven door de muur die ik ter bescherming om me heen optrok, hield hij voldoende van me om mijn verlangen in te willigen vlak bij hem te leven maar in een aparte woonruimte, en God zij dank niet hartstochtelijk genoeg om daar wrok over te koesteren en onze relatie te vergallen.

Hij hield van de liefde, was een levensgenieter, een artiest, zo iemand die er goed in slaagt de onvoorwaardelijke liefde van vrouwen voor zich te winnen terwijl hij doet alsof hij er niet op uit is. Daarbij werd hij geholpen door zijn uiterlijk. Hij leek op Leslie Howard, met zijn golvende haar waarin al vroeg wat grijs tussen het blond verscheen, zijn beige ogen achter een stalen bril en zijn vertederende voorkomen als van een oude student, oud voor een student maar jong voor een man van vijfenveertig jaar. Gelukkig was deze nonchalante verleider in mijn leven verschenen toen ik in staat was om me, met enige voorzorgsmaatregelen, staande te houden zonder verpletterd te worden, of te gaan kruipen als een teckel... wat hij geaccepteerd zou hebben zonder dat het er zo uitzag en zonder er al te veel misbruik van te maken, met zijn gebruikelijke charme.

Iedere zomer keerde ik, soms met Sydney, naar Frankrijk terug, opdat Loïc zijn vader zag en vooral zijn voedingsbodem terugvond en ik bracht om het andere jaar de kerst door met Frédérique, haar man en kinderen in een vakantieclub in de tropen. We waren die winter naar Casamance gegaan. Ik was drieëndertig jaar, een mooie leeftijd, had helblauwe ogen met donkere wenkbrauwen, het figuur van een jong meisje en iets natuurlijks, ongedwongens, onbeschaamds zelfs in mijn kleding en in mijn manier van doen, wat ik had gekregen in de Verenigde Staten. We hadden de dag in Dakar doorgebracht, Frédérique en ik, om 'inkopen te doen', een formulering die echtgenoten meestal op de vlucht jaagt, zodat we de kinderen bij mijn zwager Antoine hadden kunnen laten.

We zaten beiden neergehurkt voor een van de uitstallingen van de markt van Dakar en lieten ons weer eens verleiden door die felgekleurde lange tunieken, die er in de zon prachtig uitzien maar waar we later toch niet meer naar om zouden kijken, nadat we ze als tafellaken, als gordijnen en als beddesprei hadden geprobeerd, en getracht ze als huisjurk te dragen tot op zekere dag genoeg porseleinen kopjes op de grond geveegd zouden zijn door een zwaai van die verdomde mouwen die neerhangen als gebroken vleugels en absoluut funest zijn in onze westerse kitchenettes. Dat neemt niet weg dat ik er weer een ging kopen, rood met geel, kleuren waaraan ik een hekel heb, gehoorzamend aan zo'n idiote drang waar je in andere landen last van hebt, toen ik mijn naam hoorde noemen. Ik zat op mijn hurken, ter hoogte van de knieën van degene die tegen me sprak, maar nog voor ik me weer had opgericht, had ik hem herkend. Zijn ogen waren als in Raguenès, zijn mond als in onze hotelkamer bij het station Montparnasse, zijn schouders als van een bokser en hij stond daar stevig op de grond, een beetje wijdbeens... alles wat me gelukt was te vergeten en wat ik nooit teruggevonden had bij onze korte ontmoetingen in Bretagne. Terwijl we heel ver van huis waren, was het alsof we plotseling thuis waren.

'George!' zei hij nog eens vertederd en wierp me een blik toe zoals ik niet meer van hem had gezien sinds... sinds wanneer eigenlijk?

Hij greep mijn beide handen om me op te helpen en we vonden elkaar terug in een luchtbel, sprakeloos en ontroerd, geen van beiden luisterend naar Frédérique die heel in de verte verschillende geluiden voortbracht en die ons ten slotte meevoerde naar het terras van het café vlak bij. We kwamen pas weer op aarde terug toen we de ijsblokjes in onze drie glazen pastis hoorden rinkelen en we begonnen de nieuwtjes van ons dorp uit te wisselen. Daarna gingen we over op essentiële mededelingen die een korte samenvatting gaven van onze respectieve wegen, maar onze levens waren zo verschillend dat ze niet onder woorden te brengen waren. Al heel snel deden we niet veel meer dan naar onze glazen staren, hoofdschuddend, wanhopig pogend de stilte te vullen. Frédérique nam toen een beslissing die ons lot een andere wending gaf.

'Ik moet jullie alleen laten, ik heb nog een laatste boodschap te doen. Ik heb mijn dochter beloofd voor haar zo'n ivoren armband mee te brengen die je hier nog ziet. Ik heb net een adres gekregen. Dan zien we elkaar bij de bus, George, laten we zeggen, over een half uur?'

'Ik moet er ook vantussen,' probeerde Gauvain.

En de logica wilde dat ik zo'n grijze zin ten antwoord gaf die niets betekent, 'Nou, tot ziens, tot gauw,' de zin die per slot van rekening bij onze situatie paste. Lozerech zou me een hand gegeven hebben en zou nooit Gauvain zijn geworden. Het scheelde maar een woord, waar hij nooit op gekomen zou zijn. En al was hij erop gekomen, dan had hij het nooit uitgesproken.

'Zeg, luister eens! Na al die jaren is het stom om zo uit elkaar te gaan... Waarom gaan we vanavond bijvoorbeeld niet samen eten? Met z'n tweeën bedoel ik.'

'Nou ja... mijn vrouw is er,' zei Gauvain.

'Is Marie-Josée in Dakar?' Ik zag het vooruitzicht in rook opgaan van een romantisch diner waar ik zo van hield, met deze anti-Sydney tegen wie ik waarschijnlijk niet zou weten wat ik moest zeggen behalve dat zijn uiterlijk me nog steeds bovenmatig aanstond. Dat is altijd een uitstekend begin trouwens...

Hij legde me uit dat zijn schip in het droogdok lag met averij aan de motor, dat ze op het reserveonderdeel zaten te wachten en dat hij daarvan had geprofiteerd om zijn vrouw te laten overkomen die hij maar drie maanden per jaar zag. Ik bleef zwijgen en Gauvain deed geen enkel voorstel. Natuurlijk. Een nuchter man blijft zich niet dertien jaar lang met zo'n lastige herinnering bezighouden.

'We zouden misschien met z'n drieën kunnen gaan eten,' waagde ik koppig.

Hij schrok. Zijn borstelige wenkbrauwen, rossig geworden door de Afrikaanse zon, fronsten zich alsof de woorden die hij ging zeggen hem een geweldige inspanning kostten.

''k Heb geen zin om jou als een vreemde te zien.'

'Je ziet me liever helemaal niet?' drong ik aan.

'Hou 't daar maar op,' zei hij kortaf.

Stilte. De zon ging snel onder. Het was het korte ogenblik waarop sinds onheuglijke tijden de mens een huivering voelt wanneer de dag ten einde loopt, omdat hij het gevoel heeft dat deze alledaagse gebeurtenis een wonder is. Gauvain ging verder:

'Het viel niet mee, weet je, om er weer bovenop te komen de laatste keer. Ik hou er niet van dat de boel uit de hand loopt. Ik ben geen acrobaat.'

Ik wist dat hij eerlijk was en de genegenheid die ik voelde voor deze kwetsbare, heimelijk hartstochtelijke man, die dacht dat hij een blok graniet was, bracht me ertoe hem niet langer te kwellen. Bovendien schiet je er niets mee op om mooie herinneringen te vermorzelen, schijnt het. Ik stelde me voor hoe we in een hotelkamer zouden zijn en zouden pogen om de magie van onze jeugd te doen herleven, waarbij ik een paar van de trucjes zou uitproberen die ik van Sydney had geleerd, om deze weerspannige man nog meer in verwarring te brengen, die er waarschijnlijk vrede mee had om zijn seksuele leven te beperken tot enkele weken per jaar bij een fantasieloze echtgenote, en voor de rest tot de hoeren van Abidjan of Pointe Noire. Zijn hartstocht bewaarde hij alleen voor zijn vak. Hij had me zelfs niet gevraagd wat ik in Wellesley doceerde, hij praatte alleen maar over zijn plannen. De eerste sleepnetten van nylon waren net verschenen op die grote Californische klippers met hun motoren van 600 pk, die er binnenkort voor zouden zorgen dat de oude Bretonse en Vendeese tonijnvissersboten, die met alle geweld aan tradities vasthielden, verouderd raakten. 'Sleepnetten van meer dan een kilometer lang, stel je eens voor! En een oppervlak van tweeëntwintig hectare! 't Zal niet lang duren of het is hier ook leeggeroofd. Wij vissen nog met levend aas, dan krijg je minder vis, vanzelf. Het is een ramp, die visserij.'

'Wat zou je dan gaan doen?'

'Nou, je zal net als de rest moeten doen als je niet wil creperen.'

Hij sprak over 'de rest', de Basken, Spanjaarden, yanks, met verbeten wrok. Hij had de enige op zee willen zijn. Alles wat op de Atlantische Oceaan dobberde en ergens anders was gebouwd dan in Concarneau was een vijandig schip. Iedere schipper heeft een piratenziel en Lozerech nog meer dan een ander. Iedereen die met een schrobnet, harpoen of sleepnet een vis of schaaldier probeerde te vangen buiten de jongens van Névez, Trégunc of Trévignon om, was op z'n best een schoft en op z'n slechtst een schurk, in ieder geval een rover en een klootzak. Ik luisterde hoe hij sprak over zijn leven met die bescheiden dapperheid en dat gebrek aan humor die kenmerkend voor hem zijn en die misschien voortkomen uit een te lang verblijf op zee. Een paar witte haartjes bij zijn slapen accentueerden dat koppige-jongetjesachtige waar ook die pruillip bij hoorde. In die kleine besloten gemeenschappen zoals de bemanning van een schip is, altijd mannen onder elkaar, kameraden, steeds dezelfde, die dezelfde bezigheden verrichten, dezelfde slagen te verduren hebben, om dezelfde grappen lachen, en winst en verlies van hetzelfde werk delen, maken individuen weinig ontwikkeling door. De afzondering, de familie ver weg, het eeuwige wachten op de terugreis dragen ertoe bij dat ze blijven steken in een collectieve staat van kinderlijkheid, van afwezigheid uit de wereld van de levenden, uit de wereld van hen die iedere dag de krant lezen, die stemmen, naar de kroeg gaan en 's zondags gaan wandelen. Gauvain was minder veranderd dan ik in al die jaren.

De korte schemering van de tropen was net gevallen, als een rolgordijn dat neergelaten wordt. Alleen de ogen van Gauvain in zijn gebruinde gezicht lieten nog een glimpje blauw zien. Zo blijft ook 's zomers in Bretagne, wanneer de nacht is gevallen en de vuurtorens aan de kust gaan branden, de zee een weerschijn van licht behouden. Mijn vader noemde dat 'het achterblijvende licht'. Misschien gaf een beetje achterblijvende liefde me de vraag in die ik niet van tevoren had bedacht:

'Lozerech... zeg eens: ben je van plan je hele leven alleen maar over de visserij te praten? Niets anders te kennen? Is er geen enkele plaats voor gekheid?... Nou ja, ik weet dat het een woord is waar je niet van houdt. Laten we zeggen... afleiding, iets anders, wat dan ook!'

Hij incasseerde de klap en begon oprecht na te denken.

'Dat betekent natuurlijk niet dat je je leven totaal moet veranderen, dat betekent eens een keer de tijd nemen om jezelf een plezier te doen... jezelf een cadeautje te geven, iets dat niet gepland is...'

'In mijn vak doe je jezelf niet veel cadeau, weet je. Misschien is 't fout, maar zo is 't nou eenmaal.'

Gauvain staarde in de verte, zijn twee handen lagen als nutteloze voorwerpen op het marmeren tafeltje, zo onbeweeglijk dat ze me deden denken aan twee krabben. Bij hem thuis noemden ze dat slapers. 'Zo is 't nou eenmaal en niet anders,' herhaalde hij op een toon waarin ik een zweem van melancholie meende te ontdekken.

Hoe dan ook, ik krijg altijd last van oprispingen als iemand zegt: Zo is het nu eenmaal!

'Wat bedoel je met "zo is 't nou eenmaal"? Jij accepteert het zo! Dat is berusting, meer niet. Het noodlot, daar geloof ik niet in, dat verzinnen mensen achteraf.'

Het gezicht van Gauvain verstrakte opeens. Hij kan er slecht tegen dat iemand het bestaan ontkent van wat hij als een natuurwet beschouwt.

'Voordat we uit elkaar gaan,' ging ik glimlachend verder, 'voordat we boos worden... Ik heb je altijd al iets willen vragen: Lozerech, nu er jaren voorbij zijn gegaan, kun je het me misschien zeggen: wat vind je van onze ontmoeting? Is het een mislukking? Een stommiteit? Of een herinnering die je lief is?'

'Het is dat alles tegelijk,' bekende Gauvain. 'D'r was een tijd dat ik je liever nooit had gekend. Maar dat, ja dat is over. Later heb ik heel vaak naar je gevraagd als ik terugkwam in Raguenès, weet je. Maar ik kon je geen seintje geven. Ik durfde niet en trouwens... wat had ik moeten zeggen?'

We dronken onze tweede pastis op. Gauvain dronk nooit whisky of gin en ik had de kloof tussen ons niet willen benadrukken door een drankje voor een Parisienne te kiezen.

'Nou, bedenk wel dat ik jou ook nooit ben vergeten. Het is alsof ik sinds jou iets kwijt ben in mijn leven... iets dat ik ook nooit heb gevonden. Alleen heel even gezien. Merkwaardig, hè?'

' "Je bent vandaag zacht als de eerste vrouw",' citeerde Gauvain, "maar de nachten zijn kil als de nacht." Je ziet, ik ken je gedicht nog steeds. Ik heb het uit m'n hoofd geleerd.'

Ik legde mijn hand op zijn onderarm die nooit bloot leek vanwege die roodbruine haartjes. Rook zijn huid nog steeds naar koren?

'Ik zou... ik weet niet wat willen geven om je in m'n armen te nemen, hier, nu,' zei hij met een doffe stem en terwijl alles tot dan toe heel rustig was verlopen, trof deze zin me tussen mijn benen voordat hij tot diep in mijn hart doordrong. We waren zojuist een gebied met turbulentie binnengegaan. Ik keek niet meer naar zijn ogen maar naar zijn mond, een teken van verwarring. Maar Gauvain gaf geen krimp, als een rots in de branding. Hij dacht dat hij zich er nog uit kon redden.

'Kom, ik moet er vantussen, 't is tijd,' zei hij terwijl hij op zijn horloge keek dat hij omgekeerd droeg, met de wijzerplaat onder zijn pols, om het te beschermen tegen klappen.

'Dat heb je me nu al drie keer gezegd,' barstte ik los. 'Iedere keer dat je bij me weggaat, ga je er *vantussen*! Waartussen? Tussen je zelfopoffering en je sleur?'

'Verdomme! Wat kan ik anders?' schreeuwde Gauvain.

'Weet ik het, je kan eens uit de rails lopen. We zijn geen beesten die naar het slachthuis gebracht worden. Je bent nu de hele tijd in het buitenland, we zouden elkaar ergens kunnen zien. Niet?'

Hij keek me aan, enigszins verbluft door de wending die de gebeurtenissen namen.

'Je bent veranderd, Va Karedig.'

'Door Amerika misschien. Weet je, daar maken ze zich niet druk over goede manieren, ze gaan recht op hun doel af. Vrouwen vooral. Vind je dat jammer?'

'Ik weet niet of ik het jammer vind maar ik weet waar ik zin in heb, niks aan te doen,' zei Gauvain heel rustig.

Hij stond op, betaalde onze consumpties, trok me mee, weg van de neonlichten van het café en drukte me tegen zich aan, tenzij ik me tegen hem heb aangedrukt, dat weet ik niet meer. Al waren er jaren voorbijgegaan, ik herkende zijn intense manier van kussen en zijn voortand waarvan een stukje afgebroken was en zijn zachte tong die hij nauwelijks bewoog zodat we ons gif beter in elkaar konden laten doordringen.

Toen we uit elkaar gingen, hebben we elkaar dankbaar aangekeken: bezat ieder van ons nog die enorme, broze macht over de ander? Gaf het leven ons opnieuw dat geschenk?

'Kom, we moeten er *vantussen*, deze keer echt,' zei ik om de betovering te verbreken. 'Mijn bus vertrekt over tien minuten.'

Frédérique wachtte op mij, Marie-Josée wachtte in de vissershaven op haar man, onze levens sloten zich weer om ons heen. Maar ze hadden per ongeluk de hoop doorgelaten. We hebben staan lachen als twee kinderen die zojuist de volwassenen een loer gedraaid hebben en elkaar daarmee feliciteren. Daarna keek ik hoe hij wegliep met die wiegelende gang die ik vroeger al leuk vond. Sommige mannen bewegen alleen hun benen als ze lopen en houden hun bovenlichaam stijf. Bij Gauvain gingen zijn heupen met zijn dijen mee en zijn schouders met zijn heupen. Alles nam deel aan de beweging zoals bij die beelden waarbij je in slowmotion een jaguar ziet rennen.

We hadden geen afspraak gemaakt voor de volgende dagen in Dakar. Ik wilde hem alleen weerzien als hij bevrijd was van zijn familiebanden, ergens aan het andere einde van de wereld. Maar niets is moeilijker dan een week ontfutselen aan het leven van een visser. Eerst komt de vis waar hij achteraan moet en die gevangen, ingevroren en verkocht moet worden. Dan komt de boot. Dan de reder. En wat dan overblijft is voor het gezin. Dat liet niet veel onvoorziene ruimte over.

Het heeft ons bijna een jaar gekost om onze expeditie op poten te zetten, vooral omdat het nooit bij Gauvain zou zijn opgekomen dat je een vliegtuigticket naar New York of Kenia voor jezelf kon kopen gewoon om iemand op te zoeken die noch ziek noch dood was. Zijn schuldgevoel viel hem in moreel opzicht al zwaar genoeg. Het geld voor zijn gezin, dat was heilig. Zijn eigen verlangens niet.

Het zou Saint-Pierre-et-Miquelon kunnen zijn geweest... het toeval wilde dat de rederij Gauvain op studiereis naar de Seychellen stuurde, met het plan daar een basis te vestigen voor een paar tonijnvissers uit Concarneau. Met dit alibi vanwege zijn beroep kon hij de werkelijkheid voor zichzelf verborgen houden, namelijk dat hij een week aan zijn geliefde gezin onttrok in een poging om het onbegrijpelijke – hij durfde het geen Liefde te noemen – nog eens te beleven, dat wat hem al twee keer eerder van zijn stuk had gebracht. En, wat nog moeilijker voor te stellen was, een vrouw legde tienduizend kilometer af zonder andere reden dan haar verlangen om met hem de liefde te bedrijven. Ja, met hem, Lozerech! Als je dat tegen hem gezegd had... En sinds hij tien dagen eerder op de Seychellen was aangekomen, aarzelde hij inderdaad tussen schaamte en verrukking, en vroeg hij zich af of die hele geschiedenis niet het produkt was van twee gestoorde geesten of een of andere streek van de Duivel.

5
DUH FERRUH SECHELLUH

Er waren eens op een archipel in de Indische Oceaan uiterst toevallig – of was het dringend noodzakelijk? – een zeeman en een historica die door niets waren voorbeschikt om elkaar daar aan te treffen, allebei bezeten van een verlangen dat zo lichamelijk was dat ze het geen liefde durfden te noemen; allebei ongelovig ten opzichte van deze aantrekkingskracht en iedere ochtend verwachtend dat ze hun verstand weer terug zouden krijgen; allebei ten slotte zich afvragend wat hun overkwam, zoals u en ik, zoals allen die ooit zijn gestuit op dat kwellende mysterie waarvan alleen dichters de diepten hebben kunnen peilen, zonder evenwel een antwoord op de vraag te vinden.

Deze ontmoeting zou ik niet in de ik-vorm kunnen beschrijven. Alleen wanneer ik me verschuil achter een minder persoonlijk woord dan 'ik', zal ik de getuigenis van George kunnen opschrijven en proberen de ergernis wekkende vanzelfsprekendheid van liefdesverlangens nader aan te duiden, die misschien niet meer zijn dan de allerlaatste leugens van het lichaam.

Dus, op het kleine vliegveld van de Seychellen, die in de jaren zestig nog slechts een kolonie van het Britse Koninkrijk waren, wachtte een visser op een docente; zijn hart werd gekweld door twijfels, ongerustheid en wroeging. Maar het was te laat: er was geen twijfel over mogelijk dat de docente voor hem uit het kleine tweemotorige vliegtuig uit Nairobi zou stappen en hij zou haar wel degelijk in zijn armen moeten sluiten, die onbekende die God weet wat voor lessen gaf daar in Amerika.

In een lichte linnen broek, met een gebruind gezicht en zonder zijn gebruikelijke marineblauwe pet, onderscheidde Gauvain zich op het eerste gezicht in niets van de Britse bestuursambtenaren met kakikleurige shorts en witte kousen, of van de directeuren, die hartstochtelijke liefhebbers van de grote visserij waren en even de druk van hun rijkdom kwamen vergeten. Hij was een van de weinigen die geen zonnebril droegen en George ontdekte hem meteen te midden van de kleine menigte die zich op het vliegveld verdrong, robuuster en zeker groter dan de anderen, met een bezorgde blik, een van zijn borstelige wenkbrauwen opgetrokken. Hij droeg zo'n overhemd met korte mouwen dat zo weinig mannen staat en waar zijn gespierde armen uitpuilden, waarmee hij een schipbreukeling bij zijn kraag uit de roaring fourties had kunnen trekken. Hij had het met zorg gekozen uit het ergste wat er op exotisch gebied te krijgen was: weerzinwekkend oranje, versierd met rode palmen en negerinnen met manden op hun hoofd. Dat begon al goed! Ze gebaarde naar hem maar hij bleef onbeweeglijk staan, een beetje achteraf: het was niets voor hem om naar voren te dringen.

Bij haar overheerste evenmin een door de liefde ingegeven haast op het moment dat ze zich, uitgeput door de lange reis, een weg baande om bij hem te komen, met een gedwongen glimlach op haar lippen. Precies op dat moment vroeg ze zich stomverbaasd af wat haar ertoe had kunnen brengen om, ten koste van wat voor moeilijkheden, een zo verre en dure ontmoeting te organiseren met een vreemde die ze maar één keer in twaalf jaar tijd had gekust; en door welke fout in de rolverdeling ze zich die avond in het bed van de zoon van de boer uit Raguenès zou bevinden... Ze zocht haastig een paar aanknopingspunten om zichzelf weer moed in te spreken: in de eerste plaats zijn brede postuur. Ze kende geen enkele man van dat formaat. En verder die stevige polsen die ze bij een zeeman geruststellend en bij een minnaar opwindend vond want 'het kon niet fors genoeg zijn'; die dikke koperen krullen tot op zijn handen; en zijn grof gevormde vingers die uit zijn robuuste handpalmen staken als uit een ruw uitgehakt beeldhouwwerk dat alleen aan de uiteinden door de kunstenaar was afgewerkt.

Het was al met al voldoende zich voor te stellen dat ze net een 'verblijf op een droomeiland' had gewonnen met 'de meest sexy man van het jaar' uit een selectie van beroemde vechtersbazen!

Wat moet je anders doen als je van zo ver komt dan je in de armen werpen van de man die op je wacht? In Frankrijk of zelfs in Europa zou ze er niet over gepeinsd hebben het te doen... maar hier had ze dat bijzondere gevoel van vrijheid dat veroorzaakt wordt door de afstand met daarbij de verandering van omgeving en de hitte. Gauvain ontspande zich een beetje. Hij voelde zich slecht op zijn gemak in de rol van luxetoerist die hij nooit had gespeeld, en van opgefokte echtgenoot die hij zijn hele leven had geminacht. De opwelling van verlangen die hij voelde toen hij George in zijn armen hield, kwam hem goed van pas als een soort identiteit.

Zolang ze te midden van de mensen waren, wisselden ze alleen wat onbeduidende woorden, waarbij ze elkaar heimelijk observeerden en hun verlegenheid langzamerhand plaats maakte voor die vreemde uitgelaten stemming die ze alleen voelden als ze samen waren: George Zonderes en Lozerech hier, dat kon niet anders zijn dan een geweldige grap waar zij als eersten om moesten lachen. Toen de douaneformaliteiten achter de rug waren, hesen ze zich in een jeep met open dak die Gauvain had gehuurd, om naar het hotel te gaan. Daar had hij twee kamers gereserveerd.

'Denk je dat ik tienduizend kilometer heb afgelegd om alleen te slapen?' zei ze lief tegen hem.

'Ik had gedacht,' zei hij met een schijnheilig gezicht, 'dat je af en toe wel eens even van me verlost zou willen zijn... lekker uitrusten...'

'Luister, laten we die kamer vierentwintig uur aanhouden, dan zien we wel hoe het loopt!'

'In ieder geval is het te laat om hem af te zeggen,' merkte Gauvain praktisch op. 'Vanavond kiezen we de mooiste, die ik voor jou had gereserveerd.'

Ze ontdekken dat het een enorme kamer is, met een groot koloniaal bed voorzien van klamboe, en ramen over de volle breedte die uitzien op een lang strand met langs de rand kokospalmen waarvan de wind de bladeren tegen elkaar slaat met een metalig geluid. George die nog nooit de Indische Oceaan heeft gezien, verwondert zich over de lucht die aan de horizon loodkleurig is terwijl zij boven het eiland felblauw blijft en dezelfde verscheidenheid van kleuren op het water overbrengt. Het is zo anders dan de betrokken luchten van Senegal, met zijn lege, nevelige horizon.

Ze leunen allebei met hun ellebogen op de balustrade van het terras en doen alsof ze door het landschap worden geboeid, maar hun lichamen komen tersluiks naar elkaar toe en zodra hun armen elkaar aanraken, verspreidt zich in hun aderen de golf die de voorbode is van de grote overgave. Die berg van afstand tussen hen begint te smelten maar Gauvain durft die vrouw naast hem nog niet tegen zijn borst te drukken en haar mee te nemen om haar aan zijn spies te rijgen. En die vrouw durft haar lippen niet in de opening van het afschuwelijke overhemd te drukken, op het zachte bont van zijn borst, of haar handen over de smalle heupen te laten glijden die haar altijd ontroeren bij dat sterke lichaam. Ze blijven naast elkaar staan luisteren hoe de vloed opkomt waarin ze verlangen te verdrinken. Ze drijven al en hun benen houden hen niet langer.

Gauvain draait zich als eerste om naar de koele kamer. Hij rukt de beddesprei en het bovenlaken weg: het bed strekt zich voor hen uit, een smetteloos strand, een carte blanche om eilanden en werelddelen op aan te brengen. Ze kleden elkaar zonder omhaal uit en, zonder de ander met hun lippen los te laten, gaan ze op verkenning langs flanken, dijen, doen ze alsof ze belangstelling hebben voor de holte van de lendenen, de welving van de billen, geven ze zich over aan een spelletje clandestiene seks waardoor ze onontkoombaar dichterbij komen, ze voelen het aan de sidderingen die hen overmannen, bij de seks dus, waar ze algauw mee zullen beginnen en niet meer mee zullen ophouden.

Dan storten ze zich op het bed, onderzoeken elkaar nader, herkennen elkaar, nemen opnieuw bezit van elkaar met gebaren die nog heerlijk schaamteloos lijken, als van geliefden die elkaar pas kennen. George glimlacht in zichzelf bij het weerzien van de stevige ballen van Gauvain, die bijna tegen zijn liezen aanzitten en die ze uit duizend andere zou herkennen... nou ja, uit zeven of acht andere. Ze betast ze een beetje, eerder uit beleefdheid dan uit belangstelling, voordat ze overgaat op wat haar werkelijk interesseert. Na de testikels die zo eigenaardig aanvoelen, lijkt de penis eerlijker, normaler van substantie. Wanneer ze hem vastpakt, verwondert ze zich nog eens over zijn consistentie: hij is niet hard als hout, zelfs niet als kurk, hij is hard en zacht tegelijk zoals alleen een andere penis die dezelfde mate van enthousiasme heeft bereikt.

Ze onderzoekt hem met alleen haar duim en wijsvinger, waarbij ze hem van boven tot onder beklopt, en glimlacht iedere keer dat, zoals bij een paard, zijn kopje naar boven komt. Hij is glad als de stam van een kokospalm en merkwaardig gebogen, zoals zo'n boom soms ook, en lichtbeige, helemaal niet paarsachtig. Ze stelt het op prijs dat het woord gezwollen in geen enkel opzicht bij hem past. Zijn ronde kopje doet haar, nu het zijn voile af heeft, denken aan de soldatenhelm met gewelfde rand op de wandelstok die een herstellend soldaat in 1944 in het ziekenhuis van Concarneau

83

voor haar had uitgesneden. Ze drukt met haar vlakke hand op die knop en stelt zich een ogenblik geamuseerd voor hoe ze bang is dat hij binnendringt, dat het niet zal gaan, wel moet mislukken, in die opening waar ze zelf soms met moeite een tampon in krijgt! Hij is te groot geschapen voor haar, dat is wel duidelijk.

'Hebt u misschien niet hetzelfde model maar dan een maatje kleiner?' fluistert ze in zijn oor. 'Deze past nooit...'

Als enig antwoord wordt hij nog een stukje groter, de smeerlap. Tegelijkertijd geniet ze van haar angst, van de toenemende haast van Gauvain in wie een strijd woedt tussen het verlangen om haar op zijn beurt te strelen en de vulkanische drang om in haar uit te barsten, nu, meteen.

Liefdevol, heldhaftig begint hij met het voorspel, waarbij hij met zijn vingers, met alle vijf, concentrische cirkels beschrijft om dat vrouwelijke geslachtsdeel dat plotseling, zowel voor hem als voor haar, het middelpunt van de wereld wordt, een zee waarin je ondergaat, waarin je sterft. Ze ligt heel stil om niets te missen van die draaikolk die zich in haar vormt naarmate hij dichter bij de randen van de krater komt, maar wanneer hij de gladde lippen voelt, houdt hij het niet langer en stort zich in de warme diepte. En zonder nuances en zonder versieringen en zonder zijn ritme te kunnen kiezen, gaat hij recht op zijn orgasme af achter de bruut aan die zojuist in hem is opgestaan en die de teugels in handen wil hebben. Algauw komen ze in dat windstille gebied waar verlangen opgaat in genot dat weer verlangen opwekt, zonder dat je nog onderscheid kunt maken of kunt besluiten te beginnen of op te houden.

'Sorry, ik ga te snel. Sorry,' zegt hij weer en ze antwoordt dat ze het soms fijn vindt als hij hardhandig is en hij gelooft haar niet en ook daarom houdt ze van deze man: hij gaat er niet vanzelfsprekend van uit dat vrouwen graag ruw behandeld willen worden.

'Ik kon niet langer wachten,' mompelt hij . 'Ook al doe ik je pijn. Sorry.'

'Je doet me goed,' antwoordt George en drukt hem nog steviger tegen zich aan.

Eindelijk rust hij uit in haar, als de Geliefde uit het Hooglied, bedrieglijk stil en heerlijk loom. Die zwaarte, ook daar houdt ze van zoals ze van deze onechte rust houdt. Algauw zoekt hij haar lippen en weer kunnen ze niet meer praten maar waar het om gaat, dat komt over, alle lampjes branden. Ze voelt hoe zijn penis, als een band die opgepompt wordt, schoksgewijs weer in vorm komt, en dan eerst heel langzaam beweegt totdat de brutale bezoeker stukje bij beetje zijn plaats weer inneemt, waarbij hij alle beschikbare ruimte in beslag neemt en nog meer, zich langs de wanden drukt die hij uitrekt en stoot tegen de achterwand die hij wegduwt.

'Maak het je gemakkelijk, doe of je thuis bent,' fluistert ze.

Hij gromt op de maat zonder te antwoorden en ze zegt nog eens dat ze van hem houdt omdat hij haar hevig ontroert die enkele keer dat hij zichzelf niet in bedwang houdt en ze zal zich later wel met haar eigen orgasme bezighouden, ze heeft geen zin om het te verspillen, ze geniet ervan om nog net niet klaar te komen, nog af te wachten, het gevoel warm te houden. Ze hoeft niet bang te zijn met Gauvain, hij zal wel zorgen dat het komt, later. Ze houdt ook van die sluimerende aanwezigheid, die verwachting die ook na werktijd doorgaat, aan tafel, onder het lopen, op het strand, in de zon. De liefde die niet van ophouden weet eigenlijk, het verlangen dat maar niet wil verdwijnen, dat zorgt voor een lichte luchttrilling tussen haar en hem, een pulserende kracht die alle momenten die ze samen doorbrengen oneindig kostbaar maakt.

Een orgasme is uiteindelijk een eenzame affaire. Je concentreert je op het geraffineerde mechanisme dat je tot een hoogtepunt drijft en, op dat punt aangekomen, voel alleen jij hoe de spanning in je wegvalt. George heeft geen zin om alleen te zijn die avond, nog geen seconde. Ze is gesteld op het genot dat niet achter een oplossing aanjaagt, dat zich verbreidt om langer te duren en je laat deinen op dezelfde golfbeweging, je koesterend in de fascinerende zekerheid dat niets deze ogenblikken kan benaderen en dat je ten slotte alles waarover je zintuigen beschikken, zult aanwen-

den om door te dringen tot dat verre gebied dat ons verloren vaderland is.

Voor de eerste keer hebben Gauvain en George de toekomst
voor zich liggen: tien dagen. Ze voelen zich rijk, lui, zonder haast.
En hun koffers zijn nog niet eens uitgepakt! Ze staan wankelend
op. Het is de eerste keer dat ze hun spullen samen zullen opber-
gen, in dezelfde kast. Wanneer ze elkaar in de kamer passeren,
kijken ze elkaar aan met een liefdevolle blik van dankbaarheid,
zowel voor wat ze van elkaar krijgen als voor wat ze elkaar geven.

Gauvain heeft bijna niets voor zichzelf in zijn koffer gepakt, alle
plaats wordt in beslag genomen door een schakelnet! Je moet wel
een maniak of een zeeman zijn om een schakelnet mee te nemen
op vakantie! Hij beweert dat hij heeft beloofd er een mee te brengen voor een Bretonse vriend die hij hier heeft, zoals hij die in alle
havens van de wereld heeft. Conan zal hem zijn boot lenen. Ze
gaan met hem vissen, alles is al geregeld.

'Je hebt toch wel een ander overhemd bij je dan dit?' vraagt
George terwijl ze tussen twee vingers het gifrode kledingstuk omhoog houdt.

'Hoezo? Vind je het niet mooi? Ik heb het in Dakar gekocht!'

'Nou, voor Dakar is het prima, daar zie ik het toch niet! Maar
hier pak ik het af als je het goedvindt. Ik word er scheel van.'

'Je doet maar wat je wil, Karedig. Ik vind het leuk als je voor me
zorgt. Niemand heeft ooit tegen me gezegd wat ik moest kopen en
ik heb er zelf geen kijk op. En het zal me trouwens een zorg zijn, ik
koop wat ik tegenkom.'

Hij staat voor haar, prachtig, met een gladde huid, krachtig, zijn
vrolijke ogen blauwer dan ooit onder zijn donkere wenkbrauwen, op de grens tussen jeugd en volwassenheid, nog maar net
aan het begin van de veertig.

'Mij is het wel een zorg, ik heb graag dat je aangekleed net zo
mooi bent als naakt. En omdat het jou niet uitmaakt, nu we toch
bezig zijn, doe ik meteen ook je gevlochten sandalen weg! Die
basketbalschoenen zijn prima en verder heb je je blote voeten.'

'En mijn broek, druk je die ook achterover?'

'Die mag je weer aandoen... zo af en toe.'

Hij houdt haar in zijn armen tegen zijn onbeschaamde geslacht, vertederd dat George zich gedraagt als een moeder, zo een als hij nooit gehad heeft.

De tweede dag gaan ze wandelen in Victoria, het piepkleine hoofdstadje dat nog helemaal doordrongen is van de aanwezigheid van de Fransen, wat de Engelsen, die ons alles afgepakt hebben, al vanaf 1814 vergeefs proberen uit te wissen. Binnenkort zullen de inwoners van de Seychellen haastig op hun eerste eigen postzegels schrijven 'ferruh Sechelluh' en de creoolse taal getuigt al van het onuitwisbare en al met al succesvolle stempel dat het Frankrijk van Lodewijk XIV heeft gezet op deze eilanden, waarvan de namen regelrecht uit de opera's van Rameau afkomstig schijnen te zijn. In werkelijkheid geven de Baai Poules-Bleues en de Baai A-la-Mouche, de Baai Bois-de-Rose en de Baai Boudin, en de eilanden Aride, Félicité, Curieuse evenzeer als Cousin, Cousine of Praslin, blijk van de dichterlijke fantasie van zeelui en piraten. Alleen koningin Victoria is er in geslaagd door te dringen en heeft zich gevestigd midden op Mahé de La Bourdonnais, die het haar wel nooit zal vergeven.

Ze worden de hele dag achtervolgd door zware warme regens en pas wanneer ze de jeep nemen om de naburige stranden te gaan bekijken, ontdekken ze dat op twintig kilometer van de hoofdstad de zon voortdurend heeft geschenen.

Aangezien Mahé de reputatie heeft dat het er veel regent vanwege de bergen, besluiten ze zo gauw mogelijk gebruik te maken van het bootje van vriend Conan, van oorsprong afkomstig uit Auray, om Praslin te verkennen achter het koraalrif, over zee maar twee uur vanaf Victoria.

Ze hebben nog nooit samen gevaren en Gauvain is dolblij dat hij de eer heeft George in te wijden in zijn element. Ze ontdekt hoe hij op z'n mooist is, efficiënt, snel, met spaarzame gebaren zoals iedere goede zeeman. Je voelt dat hij al lang het zilte nat bevaart waarvan hij alle listen en lagen heeft verijdeld... tot de laatste misschien, die hem mee zal sleuren om te 'slapen in de groene wiervelden'.

Ze worden door drie tropische regenbuien overvallen en lachen samen om de milde warmte en het geweld. George kan zich niet herinneren in lange tijd zo gelachen te hebben. Gelachen om het plezier van het lachen. Gelachen om de teruggevonden jeugd. Misschien lukt het je alleen zo vrijuit te schateren met een man met wie je net vrijuit de liefde hebt bedreven? Heeft Gauvain ooit zo gelachen met zijn vrouw? In zijn milieu zou het eerder de lol van mannen onder elkaar zijn, op hoogtijdagen. Vrouwen onder elkaar lachen tersluiks maar weten zich snel weer te beheersen: 'Kom, er valt nog wel wat anders te doen, ik moet weer aan de slag!' Na een paar jaar huwelijk, dat leven waarin de kloof tussen de seksen steeds dieper wordt, elk bezig met zijn eigen taak, de een op zee, de ander thuis, in de fabriek of op het land, weet je niet meer hoe je als kind de slappe lach kreeg.

Wanneer ze Praslin naderen vanuit het oosten, installeren ze ter hoogte van de Baai Volbert, na langdurig aarzelen, het schakelnet aan de rand, denken ze, van een zandbank en een ondiepte, in een gebied dat er veelbelovend uitziet. Conan vist daar vaak, maar dan met een sleepnet.

Daarna gaan ze van boord in het dorp Pêcheurs waar hij een twijfelachtige bungalow voor hen te leen heeft, overdekt met bladeren van lataanbomen, op het eilandje Chauve-Souris, een paar honderd meter vanaf de kust waarvan ze gescheiden zijn door water als de zuiverste diamant, zoals je ook kunt zeggen een diamant van het zuiverste water. Je houdt het daar alleen uit als je net met een hartstochtelijke liefde bent begonnen, als je weet hoe je je siësta's moet doorbrengen, de uren van regen, de lange avonden die beklemmend zijn door al dat gebladerte waarin de schelle geluiden van vogels, amfibieën en diverse andere verschrikkingen een oorverdovende kakofonie vormen.

De volgende morgen heel vroeg lenen ze, om het net op te halen, een prauw van een jonge neger die de werkzaamheden met nauw verholen ironie volgt, verbaasd dat blanken op vakantie als ontspanning proberen het werk te doen waartoe hij het hele jaar lang verplicht is! Hij moet nog meer lachen als hij ontdekt waar 'de toeristen' het schakelnet geïnstalleerd hebben. Vier haaien, een blauw gestippelde rog, ponen, een mooie horsmakreel, maar ook kilo's dode koraaldiertjes met allemaal punten en haken die je eerst van de zeebodem zal moeten losrukken met het gevaar dat je er een nieuw net bij inschiet – onvoorstelbaar voor een zeeman – en dan moet je urenlang maas voor maas losmaken uit de warboel van grijsachtig, brokkelig, scherp koraal.

Terwijl ze alle drie in de prauw met hun rug naar de zon druk in de weer zijn, met gebogen hoofd en bloedende vingers, komt er vanaf een zandbank een insekt aangevlogen van een centimeter of tien, langwerpig en bruinachtig, en landt op de enkel van George die een kreet slaakt.

'Een honderdpoot!' roept de jonge neger die op de voorsteven springt en alle tekenen van paniek aan de dag legt. Met behulp van een vaarboom achtervolgt hij het ding dat over de bodem rent, waarbij hij vanuit een ooghoek George nauwlettend in de gaten houdt alsof hij bang is haar ieder moment de laatste adem te zien uitblazen. Haar enkel wordt zienderogen dikker maar het is haar eer te na om in het bijzijn van Gauvain de kleinzerige stumper uit te hangen.

'Ik voel de beet, zeker, maar het gaat wel,' antwoordt ze stoer op de angstige vragen van de jongen die daaruit de conclusie trekt dat de honderdpoot niets heeft gedaan.

'Als hij oe echt had gestokuh,' zegt hij geruststellend, 'zou oe nou zittuh tuh brulluh.'

Waar ligt voor hem de grens, voorbij welke een blanke vrouw geacht wordt te brullen? George gaat weer aan het werk. Maar het duurt niet lang of ze merkt weer eens dat het niet lonend is om de dappere uit te hangen. De twee mannen zijn het incident vergeten en houden zich alleen met het schakelnet bezig. Waar zijn de tijden gebleven van Oom Tom, dat de inlander zich op haar been zou hebben gestort om het vergif eruit te zuigen?

Hippolyte (zo heet de jonge neger) biedt telkens zijn mes aan om de massa koraal los te maken uit de kluwen mazen waarin het vastzit, maar Gauvain overweegt die mogelijkheid niet eens. Je beschadigt werkgereedschap niet, en vooral niet als het van een ander is. Hippolyte heeft er meer dan genoeg van en gaat weg. Die blanken zijn werkelijk zot! Voor hen is vissen toch een spel? Nou, waarom zou je dan nog zittuh tuh klooiuh! Gauvain en George blijven tot de avond met het net bezig en verwonden zich aan hun vingers en halen hun handen open maar Conan zal zijn schakelnet in perfecte staat terugkrijgen, of althans bijna.

De voet is het er niet mee eens: hij is opgezwollen, vormeloos, de huid is glanzend en warm en de pijn is brandend. Gauvain neemt het zichzelf kwalijk dat hij er zich niet eerder om bekommerd heeft. Ze beseffen niet dat ze dankzij deze honderdpoot de blinde wereld van de geliefden zullen verruilen voor een soort echtelijke staat.

Hij zet George in de schaduw neer, met het been hoog, gebruikt alle ijsblokjes uit het op butagas werkende koelkastje om ijskoude kompressen voor haar te maken, laat zich naar Praslin rijden waar hij een fiets huurt om naar het dorp te racen om verband en Synthol te kopen, staat 's nachts op om haar te drinken te geven, met zoveel bezorgdheid en angst in zijn blik dat ze het nog nooit zo fijn heeft gevonden om pijn te hebben. Ze hebben in de gids gelezen dat de beet van een scolopender heel gevaarlijk is. Maar er komt niets van in dat dit beestje zo'n kostbare week zou komen vergallen: met al haar wilskracht probeert George haar pijn te bagatelliseren, zich niet met haar voet bezig te houden en hem te isoleren van de rest van haar lichaam, om het gif de weg te versperren.

In zee weegt dat aanhangsel, dat bolrond is geworden, nog het minst aan haar been en ze hoeven maar een paar passen te doen of ze kunnen het verzachtende water in. De hele dag blijven ze op het eilandje; Gauvain masseert haar been dat langzaam minder dik wordt, waarbij hij ervoor zorgt dat hij niet op de donkere plek van de beet komt. 'Laat me maar gaan... 'k Heb er verstand van,' stelt hij haar gerust. Aan boord fungeert de kapitein of de eerste stuurman als ziekenbroeder, soms als chirurg, in geval van ongelukken, fracturen of abcessen.

Ze zijn helemaal van slag dat ze niet hoeven te vrijen en ze doen zo maar wat, dat wil zeggen, ze beginnen gesprekken te voeren en ontdekken wat ze nog meer zijn behalve twee verschillende geslachten. Hebben ze ooit met elkaar gepraat over iets anders dan de liefde? Ze wagen zich heel verlegen op weg naar een nieuw soort relatie. George zou willen dat ze niet langer een vreemd gebied voor Gauvain was. Ze zou willen dat hij weet waar zij van houdt in het leven en waarmee ze de zee van tijd doorbrengt waarin ze niet in zijn gezelschap is. Ze zou willen dat hij weet waarom ook zij van haar vak houdt en dat hij leert om beter om zich heen te kijken. En wat is een betere gelegenheid dan deze archipel waar de geschiedenis zich als een open boek laat lezen, de geschiedenis van de opeenvolgende veroveringen van Frankrijk en Engeland, en ook die van de piraten. Gauvain heeft nog nooit een gids ingekeken. Voor hem is de zee een werkplaats, een mijn die hij exploiteert, een broodwinning. Hij heeft nog nooit gedacht aan de grote zeevaarders die haar doorkruist hebben. Eilanden zijn er om op te werken, meer niet. Tonijnen wachten erop om gevangen te worden, hij is op de wereld om te vissen en zijn kinderen leven van die tonijnen. Hij heeft geen tijd gehad om zich voor het verleden te interesseren. Nieuwsgierigheid is een luxe en hij meent dat die luxe niet voor hem is weggelegd. Hij kan zich zelfs niet voorstellen dat hij er aardigheid in zou hebben. Maar nu zit hij vast, gedwongen om niets te doen, en toevallig is George geschiedkundige. Nou, kom dan maar op met die geschiedenis.

George begint met een verhaal over bendes, om hem niet af te schrikken. Kleine jongetjes houden van bendeleiders en avonturiers.

'Heb je nooit de dagboeken van de grote zeevaarders gelezen?'
'Weet je, aan boord valt er niet veel te lezen behalve dan detectives en stripboeken. Ja toch! 'k Weet 't weer, ik heb wat gelezen over Christoffel Columbus. Dat was een boek dat ik als prijs had gewonnen in Quimperlé!'
'Ik zal je een boek over de geschiedenis van de Seychellen geven, als herinnering aan ons verblijf. Het is een echte detective, dat zal je zien, met de Engelsen en de Fransen die elkaar om de beurt verjagen, namen geven aan eilanden, die namen weer afschaffen en dan diezelfde eilanden weer een andere naam geven, allemaal hun eigen kerk oprichten, rijk worden, elkaar afmaken en aan het einde zijn het altijd de piraten van beide kanten die het geld in hun zak steken. Het schijnt dat al deze eilanden vol verborgen schatten zitten. Ze hadden hier een van hun schuilplaatsen want deze eilanden waren in die tijd onbewoond.'
'Piraat!' zegt Gauvain dromerig. 'Dat zal wel spannender zijn geweest dan inbreken in een villa in ieder geval!'
'Laat me niet lachen! Jij zou niet in staat zijn geweest om "piraatje te spelen"! Veel te moralistisch, die jongen van Lozerech! Als je "minnaartje speelt", heb je het al moeilijk...'
Gauvain geeft haar een zacht stompje, heel ver van haar enkel vandaan. Hij vindt het leuk als het gesprek over hemzelf gaat, dat is hij niet gewend.
'Nee, jou zie ik eerder als kapitein in dienst van de koning, en na iedere expeditie breng je hem dan trouw al het goud en de diamanten die je van de inboorlingen of de vijand hebt afgepakt – dat zou in die tijd geen diefstal zijn geweest – alles, tot aan het laatste lepeltje. En als beloning zie ik je nog wel in de gevangenis terechtkomen voor de rest van je leven omdat je vijanden had gemaakt onder belangrijke mensen van het hof, door je eerlijkheid... of in zee gegooid door je muitende bemanning omdat je had geweigerd hun een groter deel van de buit te geven.'
'Zie je me voor zo'n klootzak aan?'
'Jazeker... En eerlijkheid, daar had je in die tijd nog minder aan

dan tegenwoordig. Weet je waar je nog wel eens wat aan had? Goed kunnen vrijen!'

'Kijk eens aan: dan had ik misschien nog een kans als zeerover! Tenminste, als ik jou mag geloven, ik weet dat niet zo, hoor,' voegt hij er met valse bescheidenheid aan toe.

Ze lachen. Op dat gebied voelen ze zich wonderwel gelijk. George streelt hem een beetje, alleen om zich ervan te vergewissen dat alles er nog zit en dat hij een erectie heeft, ook al luistert hij naar verhalen over de geschiedenis.

'Het is geen grap, hoor: de Fransen hebben Tahiti veroverd omdat de zeelui van Bougainville beter konden vrijen dan die van Cook! Koningin Pomaré, die niet lekker geneukt had met de wel zeer Britse missionaris Pritchard, schonk haar eiland liever aan de Fransen nadat ze een paar nachten had doorgebracht met ik weet niet meer welke Lozerech van een Franse expeditie. Ik zal je ook *Les Voyages de Bougainville autour du Monde* geven, ik weet zeker dat je het spannend zult vinden.'

'Maar waarom geef je me jouw boek niet? Dat vind ik wel wat, dat je een boek geschreven hebt. Voor mij zijn schrijvers mensen die anders zijn dan wij... je kan ze niet aanraken, snap je...'

'Nee, dat snap ik helemaal niet! Ik vind dat jij schrijvers juist heel goed raakt! Ik weet niet of ik het met mijn boek zo goed zal doen. Het is een nogal academisch geval, zie je. En dan vrouwen... revoluties, twee onderwerpen die je niet zo boeien. Of liever, laten we zeggen dat je er nooit aan gedacht hebt. Je weet niet eens of het je interesseert of niet.'

'Zeg maar meteen dat ik een klootzak ben, nog een keer.'

'Maar dat zeg ik toch!' George doet op haar beurt haar woorden vergezeld gaan van een stomp.

''k Vraag me af wat ik met jou moet!' roept Gauvain die aarzelt of hij het als een grap zal opvatten.

'En ik dan met jou? Heb je je dat wel afgevraagd? Het wordt tijd dat we elkaar op klaarlichte dag eens vertellen dat we van elkaar houden, stomme klootzak van wie ik hou!' Ze pakt hem bij zijn nek en buigt hem met geweld naar zich toe en ze weten niet meer wat ze denken al die tijd dat hun omhelzing duurt.

'Je interesseert me, als je het weten wil,' gaat George verder. 'Ik hou van je karakter, je smerige karakter. Ik hou van je tederheid. En je bent intelligent in de liefde, wat zo weinig mannen zijn, nou dat past niet bij een klootzak, dus je ziet... En mijn proefschrift zal ik je sturen, met een compromitterende opdracht! Je zult het in het geheim moeten lezen en in je tuin begraven.'

De zon daalt over de waranda die bedolven is onder de bougainvillea. Hé, nu we het er toch over hadden, denkt George, ik moet hem vertellen dat wat er vandaag de dag nog rest van Bougainville niet een eiland is, al heeft hij er nog zoveel ontdekt, maar een struik. Ze drinken een beetje te veel creoolse punch en George vertelt hem over haar leven aan de universiteit. Ze praat gemakkelijk, zoals iedereen in de familie en ook in de klasse waartoe ze behoort. Bij Gauvain thuis wordt alleen het hoognodige gezegd. En onder vrienden wordt alleen een enkele keer eens een vertrouwelijke mededeling gedaan in de vorm van een grap, op avonden dat iedereen dronken is. Je praat niet over wat je op je hart hebt. Dat zou niet fatsoenlijk zijn. Zoiets als wanneer grootmoeder Lozerech het in haar hoofd zou halen om zich anders dan in het zwart te kleden of moeder om een ochtend in bed te blijven. 'Die keer hadden we er wel zin in' of 'Dat was toch een ellende!' vormt het toppunt van communicatie, onderstreept door peinzende kreten als 'Ja, ja, zeg dat wel!' waarna ieder een tijdje stil is, in gedachten bij zijn eigen belevenissen.

Maar die avond, op het eiland van Gabriel de Choiseul, hertog van Praslin, is Lozerech, na zijn vierde glas punch, Lozerech niet meer. Hij is een man die een beetje laat doorschemeren van dat onuitgesproken dat diep in hem leeft. En dat is nog erger dan de liefde. Aangrijpender, want praten met een vrouw is heel iets anders dan wat hij tot dan toe heeft gedaan. Tegen iemand tekeergaan, dat kan hij nog wel. Maar hardop zeggen waar hij van houdt, dat is zoiets als een schending van het beste van hemzelf.

George is ook een beetje dronken, die tabletten, de alcohol... en dat stelt hem gerust. Ze zullen niet uit eten gaan vanwege die enkel en terwijl ze zich volstoppen met exotische vruchten, blijft Gauvain maar doorvertellen: de visvangst in Dakar of in Ivoorkust, het avontuur dat iedere nieuwe campagne weer is, de opwinding als ze op een school vissen stuiten, het water dat begint te borrelen als de vis naar de oppervlakte komt, dol gemaakt door de kuit, de sterke bamboestok die je haastig moet grijpen, het sproeisysteem dat ervoor zorgt dat de tonijn de rij bezetenen niet ziet, die, van de eerste machinist tot de kok, klaar staan om de buit in ontvangst te nemen. En het moment, meedogenloos als de liefde, ja, dat heeft hij gezegd, meedogenloos als de liefde, dat ieder met een ruk zijn tonijn aan boord trekt, zijn boniet, die menige keren wel twintig kilo kunnen worden en de vraatzucht van die dieren en de opgewonden stemming van de mannen, het bloed op de oliejassen, het aanhoudende geklapper van de vis op het dek, de vishaken zonder angel om de vis sneller los te kunnen maken en dan de vislijn terug in het water...

George heeft al gemerkt dat Gauvain iedere keer dat hij over zijn vak praat, weer Bretonse uitdrukkingen gebruikt en een duidelijker accent heeft. Hij heeft er plezier in haar zijn codetaal uit te leggen, zijn vakjargon, de 'mattes' of scholen tonijn die opgespoord worden, de kuit die dient om het aas, de sardientjes, te vangen, die op hun beurt gebruikt worden om de tonijnen te vangen, al dat werk dat aan de confrontatie voorafgaat... Ja, het is meer werk dan met een sleepnet, je moet de haken steeds weer van aas voorzien. D'r gaat nog wel eens wat kapot omdat het zo snel gaat en er valt wel eens iemand overboord, maar 't is fantastisch! Zijn ogen schitteren. Daarin is zijn respect voor de tegenstander te lezen, dat grote roofdier dat een tonijn is, 'een prachtig beest dat zich goed kan verdedigen, dat zou je eens moeten zien! 'k Heb gezien hoe ze met dertien man driehonderd vissen aan boord takelden binnen een half uur. En grote kanjers!' Zij zegt: 'Dat zal wel een grandioos spektakel zijn!' Hij antwoordt: 'Ja, geweldig...' Grandioos komt in zijn vocabulaire niet voor. 'Maar dat is allemaal voorbij kan je wel zeggen,' besluit hij met het fatalisme dat kenmerkend is voor zeelui. 'De reders die beslissen alles, die nemen andere schepen, andere mensen. Wij stellen helemaal niks voor, stoelenmatters zijn uit de tijd. Met die nylon sleepnetten die de yanks nou gebruiken, gaan ze tien ton albikoor per dag ophalen. En wij doen tien ton per vangst! Ja, ja, het is voorbij,' zegt hij afwezig. Hij is plotseling heel ver van George vandaan. Hij heeft in z'n eentje zitten praten.

'Maar je zou veel meer verdienen op zo'n boot met sleepnetten, nietwaar? En je zou het gemakkelijker hebben, minder slopend werk.'

'We zouden meer verdienen, absoluut, maar...'

Hij maakt zijn zin niet af. Hij kan zijn heimwee niet onder woorden brengen, zijn voorliefde voor het ambachtelijke vissen waarbij het individu van betekenis was, als enige, voordat radar de fijne neus van de kapitein verving en elektronica in de plaats kwam van moed en ervaring.

'Met dertien jaar zat ik al in de tonijn. Nou ja, witte tonijn was het toen, wat anders dan die rooie tonijn van ze...'

Die vorm van visserij is voorbij, maar hij geeft zich niet gewonnen. Dat hij hiernaar toe is gekomen, is het bewijs. Als je dan toch met machines aan de slag gaat... Ze hebben het al over helikopters om de groepen vogels op te sporen die jagen op het uitschot aan de oppervlakte, scholen kleine visjes die zelf weer aanduiden waar de grote zitten die eronder zwemmen. Het jachtgebied wordt steeds groter. De noordelijke Atlantische Oceaan hebben ze zo langzamerhand leeggeplunderd, maar hier wachten nog hele massa's tonijnen. Zijn blik wordt weer levendig. Hij heeft lak aan het milieu, dat nog de Natuur wordt genoemd. Hij houdt ervan verwoestingen aan te richten, dat is zijn werk. Een piraat dus toch. De toekomst zal hem een zorg zijn.

Het is 1 uur 's ochtends, Gauvain kijkt om zich heen alsof hij weer op aarde terugkomt. George ligt half te doezelen met zijn arm om zich heen. Hij heeft in z'n eentje zitten praten, maar hij zou nooit gepraat hebben als hij helemaal alleen was geweest. Nooit tegen zijn broers of zijn vrouw. Tegen collega's misschien maar over gebeurtenissen, plannen, niet over gevoelens. Dat is iets voor wijven, gevoelens. Hoe komt het dat hij met deze hier zichzelf als een andere man ervaart en dat hij dingen zegt waarvan hij zelfs niet wist dat hij ze wilde zeggen?

Hij draagt haar voorzichtig naar het bed, zijn mooie vis. 'Je moet je voet niet neerzetten. Dan zakt het bloed naar beneden. En nou zal ik even een nieuw kompres en een verband voor de nacht voor je maken.'

George verbergt haar gezicht in zijn hals. Het is voor het eerst dat ze zo gedragen wordt, verzorgd, verbonden en vertroeteld. Ze geeft zich over aan een ongekend gevoel van gelukzaligheid. Nee, het is toch iets dat ze kent: de handen van haar vader, ziekenverzorger en brancarddrager in de oorlog, omdat hij een cursus Natuurkunde, Scheikunde en Biologie had gedaan en een jaar Medicijnen voordat hij kunstenaar werd. Handen die wonden konden schoonmaken. Haar moeder kon niet tegen bloed. Ze ruikt weer de weeë geur van jodiumtinctuur. 'Het prikt!' riep ze onveranderlijk. 'Des te beter,' antwoordde haar vader dan, 'dat is een teken dat het werkt.'

Ze vallen in slaap, vervuld van liefde, en hun zielen zijn, voor de eerste keer misschien, in een omhelzing verstrengeld, in volmaakte harmonie met hun lichaam, terwijl ze zich aan elkaar vastklampen als twee kinderen.

De volgende morgen is de voet duidelijk zoveel beter dat ze besluiten een tochtje rond het eiland Praslin te maken. Ze huren de enige auto van het eiland voor de hele dag, dat zal minder vermoeiend zijn voor George dan fietsen.

Ze doen iedere inham aan maar de meest simpele, de Baai Marie-Louise, biedt hun de grootste rijkdom aan onderzeese schatten, op een paar vadem vanaf de kust, zonder dat ze er zelfs

voor hoeven te zwemmen, onder een laag kristalhelder water van
een meter, in een wierbank met kleurige vissen waartussen ze
zich laten voortglijden, hun zwemvliezen nauwelijks bewegend.
Precies hier ontdekten de zeelieden van *L'Heureuse Marie* de ko-
kosbomenplantage van de Vallée de Mai die ze morgen zullen bezoeken. Hier vlak bij liep La Buse de haven binnen, de piraat die
door de Inglisj die de *u* niet konden uitspreken 'La Bouche' werd
genoemd, nadat hij de meest fabelachtige buit uit de geschiedenis
van de zeeroverij had binnengehaald: de onderkoning van Indië
met zijn gouden servies, en de aartsbisschop van Goa met zijn heilige vazen, bedekt met edelstenen... Ze lezen samen in de gids
languit onder de filaobomen, op het gloeiend hete zand, heel ver
van de gewone wereld.

Die middag zullen ze weer de liefde bedrijven. Het is de eerste
keer dat ze zich de luxe veroorloven om te wachten. Het is ook de
eerste keer dat Gauvain de indruk heeft dat hij zich uitlevert aan
de vrouw die hij gaat bestormen. Hij voelt zich verlegen, meer
aangedaan. Die dag zal hij accepteren dat zij hem 'daar', zoals hij
zegt, langdurig kust en dat hij durft blijk te geven van intens genot; maar het lukt hem niet om onder haar lippen klaar te komen.
Hij schaamt zich ervoor zich zo te laten gaan. Op het laatste moment trekt hij George op zich, hun gezichten tegen elkaar aan.

''k Heb te veel respect voor je,' zegt hij, 'je zal het wel idioot
vinden maar ik kan zo niet klaarkomen, in jouw mond.'

'Vertrouw maar op mij, ik doe alleen wat ik graag wil en ik stop
als ik het niet prettig meer vind. Met jou heb ik nog nooit iets tegen m'n zin gedaan.'

'Dat kan wel zijn maar ik kan het niet. Ben je boos?'

Hij gaat met zijn tong over de lippen van George als om de aanraking met zijn roede uit te wissen.

'Ik voel me zo alleen hierboven zonder jou, ik vind het lekker
om je overal te voelen. Ben je niet boos?' vraagt hij nog eens ongerust. 'Ik doe het veel liever zo op het eind,' voegt hij eraan toe
terwijl hij zich heerlijk tussen de dijen van George installeert in

een holletje dat hij net voor zichzelf in haar heeft gemaakt en dat zich om hem heen sluit. Geen holtes, geen uitsteeksels meer, twee gladde,vervulde, egale lichamen.

'Je hebt niet gezegd of je boos was?' vraagt hij schijnheilig want dat soort dingen weet hij heel goed.

'Ik ga je nu niet vertellen dat ik het anders wil! Ik heb zo'n zin in je dat ik het nu alleen in standje 1 kan.'

Hij lacht genietend. Zij lacht omdat ze hem een genoegen doet. Ze lachen omdat ze het kinderlijke geheim bezitten de ander een genoegen te doen. Een geheim waar je je hele leven naar op zoek kan zijn, denkt George.

Hij begint weer te bewegen, heel zachtjes en hun tanden stoten tegen elkaar als ze elkaar kussen omdat ze alweer lachen ondanks de ernst van hun genot.

Gedurende hun korte intermezzo's vraagt George zich wel eens af hoe ze ooit weer overnieuw kan beginnen. Te meer omdat het apparaat van Gauvain indrukwekkend blijft, zelfs na gebruik. Ze heeft er eens iets over gezegd op een dag dat hij naakt door de kamer liep.

'Zolang jij in de buurt bent, wordt hij niet meer slap. Nooit helemaal. Het is verschrikkelijk!' Hij barst in zijn kinderlijke lach uit. 'En zodra ik erover praat, je ziet het...' Hij bekijkt zichzelf aandachtig met zo'n vertederde blik waarmee je naar je eigen kind kijkt dat onuitstaanbaar is. Hij is op een naïeve manier trots dat hij in de smaak valt en voelt geen enkele gêne. Zijn gevoelens van schaamte zijn elders. Hij weet dat het wat zijn lichaam betreft wel goed zit.

'Ja, ja! En dan te bedenken dat ik je pas in de tropen naakt zou zien rondlopen en je afwijking zou ontdekken! Je beestachtige afwijking, kun je wel zeggen!'

Ze neemt het geslacht van Gauvain in haar hand, weegt het.

'Zelfs leeg weegt hij nog... ik weet niet... een half pond?'

Ze vindt het leuk om hem te vleien, gekke dingen te zeggen, als lady Chatterley, die hij niet kent, neer te knielen voor het Goddelijk Instrument. Een beetje tegen hem te jokken zelfs, opdat hij zich nog hartstochtelijker betoont, kortom zich te gedragen als het prototype van de vrouw als object en dat stukje vulgariteit, schunnigheid dat ze niet van zichzelf kent de vrije loop te laten. Ook daarom houdt ze van Gauvain: om die onbekende die hij in het leven roept en die zich met geweld toegang tot haar verschaft. Iemand die 's avonds niet meer leest om zich sneller aan zijn liefkozingen over te geven, die zich kleedt met in haar achterhoofd zijn seksuele criteria, die hem zijn grofheden, zijn vergissingen vergeeft, alles wat ze bij een ander verafschuwd zou hebben, vanwege het genot dat ze van hem verwacht, vanwege dat onzinnige, niet goed te praten verlangen. Maar hoezo niet goed te praten? Die neiging om seks te willen begrijpen zoals je wiskunde begrijpt! De enige betekenis van seks is de seks zelf.

Dit alles is noch serieus noch wenselijk, denkt George wanneer de dueña in haar weer de overhand krijgt. Alleen romantische omstandigheden hebben dit vuur brandende kunnen houden. Ze hadden per slot van rekening nog nooit tien dagen samen doorgebracht, maar het was te verwachten dat het beter kennen van de ander, het herhalen *(eentonig, absoluut, benadrukt de dueña)* van dezelfde gebaren, wel een eind zou maken aan deze fascinatie, zodat er alleen een bijzonder gevoel van nostalgie over zou blijven, dat beter verenigbaar was met de eisen van hun beider levens.

'Je zou toch eens moeten beginnen met twee uur lang niet naar die kerel te verlangen,' zei de dueña. 'Je zou eens moeten ophouden hem aan te staren met van die walgelijke bijbedoelingen.' 'Maar, mevrouw, zelfs 's nachts word ik wakker van de miniemste beweging van hem en hoe moet ik voorkomen dat mijn slaap verandert in wellust, zoals op die gravures waarop de vleugel van een vogel langzaam maar zeker in een zeil verandert zonder dat je het moment kunt aangeven waarop het gebeurt? En zelfs 's ochtends, mevrouw, heel vroeg als alles onschuldig lijkt, hoeft er maar een vinger op mijn huid te komen, zelfs heel ver van de kritieke zones vandaan, of mijn ademhaling wordt een tevreden gekreun, en onze

gezichten keren zich naar elkaar toe, onze lichamen voegen zich ineen, onze geslachten laten zich met elkaar in...' 'Genoeg,' zegt de dueña. 'Je vertelt me steeds hetzelfde verhaal. Het is dermate vervelend...'

Iedere ochtend wordt George wakker met de angst dat de dueña er in de nacht in geslaagd is het jonge meisje dat zich overgeeft aan kinderachtig gedrag in het gareel te laten lopen, het meisje dat niemand behalve Gauvain ooit heeft gezien. Maar iedere dag is het weer het meisje uit Raguenès dat huivert onder de eerste liefkozing van die man, die altijd vóór haar wakker is en die kijkt hoe zij slaapt en zich moet inhouden om niet zijn vinger zachtjes over haar tepel te strijken.

'Zeelui kunnen niet lang uitslapen,' zegt hij als excuus, als hij zijn hand naar haar uitstrekt en dat is het sein voor de dagelijkse nederlaag van de dueña. Een uitbundige nederlaag want zodra ze ontdekken dat ze weer een hele dag samen zijn, worden ze op slag vrolijk. En opnieuw vrijen ze twee of drie keer zonder onderbreking. En als ze menen dat ze uitgeteld zijn en vastbesloten zijn *eerst* te gaan ontbijten, hoeven ze maar een onvoorzichtig gebaar te maken of ze belanden weer op het bed.

Gelukkig brengen ze de volgende dag ver van hun hut door, op het grote eiland en Gauvain is geen man die buiten de liefde durft te bedrijven. 's Avonds eten ze vis en schelpdieren in een piepklein restaurantje tussen het strand en de onverharde weg waar je geen enkel verkeer hoort maar alleen een inheems orkestje, trommel, viool, accordeon en triangel, dat vreemde contradansen en quadrilles speelt die regelrecht afkomstig zijn van het hof van Lodewijk XIV. Vijf muzikanten, uiteenlopend gekleed in jasjes met gaten of tropenhemden, en een heel oude Seychelse in een lange rok, op blote voeten, mooie voeten met gespreide tenen, die als voeten goed werk hebben gedaan, doen hier onder de lataanbomen en de filao's de menuetten van de Zonnekoning herleven. De vrouw danst met de gratie van een markiezin, maar tandeloos, met een ongestreken sjaal om haar magere schouders, de zoom van haar rok loshangend, met een guitige blik vol humor, mooi en echt als haar eiland. Dankzij hen herleeft voor een avond de tijd waarin de grote ontdekkers geen generaals en ook nog geen zakenlieden waren. Zodra er meer dan twintig toeristen op Praslin zijn, zal de oude danseres naar huis gestuurd worden en komt er een vreselijk meisje voor in de plaats, een 'typisch' orkest en elektrische gitaren.

Die avond zitten ze maar met z'n zessen te luisteren en de mensen naast hen zijn ook Fransen, maar zo te zien nogal wezenloos. Leeftijdsloos zijn ze ook. Al op hun retour. Maar waarvandaan? Mevrouw ziet er onberispelijk uit, het grijze haar in een knot, een kaarsrechte rug, met een gedistingeerd gezicht, enigszins vierkant maar wel mooi, hoewel het getekend is door een te lang betrachte deugdzaamheid. Een mantelpakje van grijsachtig beige linnen en de onvermijdelijke witte sandalen. Haar echtgenoot, waarschijnlijk vroeger koloniaal bestuursambtenaar, platgewalst door dertig jaar echtelijke verveling, zit in elkaar gedoken te dromen aan het eind van de tafel. Hun dochter, die al leeftijdsloos is geworden, zwart geverfd met een roodbruine gloed ('dat staat wat vrolijker, vind je niet?'), zit naast een zielige man die zijn schoonvader achternagaat. De tropen hebben het schild van deze burgerlijke schildpadden niet aangetast. De twee vrouwen onderzoeken nauwkeurig de borden om te kijken of er geen inheemse microbe op zit, fronsen vervolgens hun wenkbrauwen bij het menu waar alleen vis op voorkomt, voordat ze de dienster roepen om 'toast' te bestellen. Ze komen van de Vallée de Mai waarvandaan ze een 'coco-fesse' hebben meegenomen waar ze nu al spijt van hebben. Het is een heel duur ding en ze zullen het nooit in hun salon durven neerzetten, het is te obsceen, bedenken ze nu.

Alleen de moeder en de dochter wisselen enkele zinnen waarbij de mannen met regelmatige tussenpozen met een hoofdknikje hun mening te kennen geven. 'Dat mooie grote hotel, weet je, mama, aan de rand van het Gardameer...' 'O ja! Weet u nog, Hen-

ri?' Mama zegt u tegen haar man op wiens verveelde gezicht dertig jaar vakantie samen met zijn echtgenote staat te lezen, tot zijn
pensioen, die vakantie zonder eind... Maar hij zal niet tot het laatste toe doorgaan. Hij heeft zichzelf uit voorzorg al op een beroerte
getrakteerd en loopt gebrekkig.

Maar Fransen die tienduizend kilometer van hun vaderland
zijn, duizend kilometer van Madagaskar, het dichtstbijzijnde ge-
biedsdeel, kunnen elkaar niet negeren. De kennismaking speelt
zich af rondom de dubbele kokosnoot.

'Iedere vrucht heeft een nummer, weet u, want de export
wordt nu streng gereglementeerd,' verkondigt Mevrouw Moeder.

'Je ziet ze alleen maar hier, dat is merkwaardig. En de Arabische
vorsten kochten ze vroeger al voor woekerprijzen vanwege hun
werking als afrodisiacum,' zegt George.

Even is er iets van afkeuring te zien in de blik van Mevrouw
Moeder, bij de gedachte dat zij ervan verdacht zou worden zich
met erotiek bezig te houden. Gauvain heeft een wenkbrauw opgetrokken. Dat zegt hem iets. Afrodite niet, maar afrodisiacum
wel.

'Ik vind het maar gek dat oosterse vorsten dat nodig zouden
hebben! Ze hadden het recht er zoveel vrouwen op na te houden
als ze wilden,' zegt hij.

De twee dames vinden dat het gesprek een dubieuze wending
neemt en sturen op een minder scabreus onderwerp aan.

'De namen van al deze eilanden zijn enig, vindt u niet?'

'Ja,' stemt George in. 'Het is echt aandoenlijk dat in deze uit-
hoek van de wereld voortdurend de naam van Praslin wordt uitgesproken, een minister van Lodewijk xvi die er nog nooit een
voet heeft gezet!'

'En waarom dan Praslin?' vraagt Gauvain. George weet dat het
hem koud laat maar ze zal het hem toch vertellen want ze heeft
het net vandaag in de gids gelezen.

'Nou, omdat de hertog van Praslin minister van Zeevaart was

en een expeditie heeft gefinancierd juist om die beroemde dubbele kokosnoten te verzamelen die toen al zo duur waren.'

'Er waren in ieder geval toen geen autochtonen op de Seychellen,' merkt Mijnheer Vader op. 'De ontdekkingsreizigers hebben zich niet laten opeten zoals die ongelukkige Lapérouse.'

'Séchelles heeft hier evenmin ooit een voet gezet. Het was een controleur van Financiën, Moreau des Séchelles om precies te zijn,' verduidelijkt Mijnheer Schoonzoon. 'Ik ben zelf Inspecteur van Financiën,' voegt hij er zelfvoldaan aan toe.

'Het is een mooie naam trouwens. Een geluk dat Newcome of zo'n andere Brit dit paradijs niet gauw ''Nieuw Zuid-Wales'' hebben genoemd of ''Zuid-Liverpool''!' George voelt zich chauvinistisch hier aan het einde van de wereld en vindt het heerlijk het perfide Albion te beledigen.

'Zuid-Liverpool? Daar zouden de creolen al gauw ''Liever Pool'' van gemaakt hebben!' Gauvain zal er niet een overslaan als het om woordspelingen gaat. Hij weet het zelf niet maar hij heeft gevoel voor woorden en weet zijn gebrek aan kennis behendig te compenseren.

Maar de Fransen wensen dit gesprek niet langer voort te zetten. Ze weten niet goed waar ze Gauvain en George moeten plaatsen, dat merkwaardige stel. Alle vier groeten ze met een steriel lachje alvorens hun kamers weer op te zoeken in het enige hotel dat Praslin rijk is.

'Koop vooral geen dubbele kokosnoot,' zegt George gebiedend tegen Gauvain. 'Raak ze zelfs niet aan. Je kunt eraan doodgaan!'

De volgende morgen stappen ze op de boot naar La Digue. De dagen gaan nu snel voorbij, zoals het laatste beetje in een zandloper. Het naburige eiland is hun laatste aanlegplaats. Na een oversteek van een half uur in de regen legt de oude schoener, de *Belle Coraline*, aan bij een provisorische pier, gebouwd op houten palen. Het regent altijd hier in dit stukje van het land en ze zijn de hele tijd aan dek gebleven om zich door de golven nat te laten spatten. Liefde maakt bepaald kinderachtig.

Op La Digue is er noch een haven noch een dorp. Verspreid liggende lage huisjes, een kopramolen, aangedreven door een os, een katholieke kerk en een verlaten kerkhof waar doden met Franse namen liggen. In een ossekar gaan ze op weg naar Grégoire's Lodge, de enige herberg met bungalows op dit eiland dat slechts vier auto's maar wel tweeduizend bewoners telt. De bladeren ruisen van de druppels, in de kamers zijn de lakens nat en door het nachtelijke concert van kikkers, insekten en vogels, van tijd tot tijd onderbroken door een schrille kreet, en het onafgebroken geritsel van de palmen, wordt slapen onmogelijk. De onverharde wegen zijn in dit jaargetijde modderpoelen en de golven voeren tonnen zeewier met zich mee met de sterke geur die hen aan Raguenès doet denken. Maar aan de kust, beneden de wind, te midden van de reusachtige rose granieten steenblokken van dat tropische Bretagne, liggen, tussen de kokospalmen, verblindend witte stranden met daarlangs een lagune in de lichtgroene kleur van absint.

De avonden zijn volmaakt want in de schemering gaat de wind liggen. Het is het verrukkelijke uur dat voorafgaat aan de kakofonieën van de nacht. Achter een glas 'verbeterd vruchtesap', zoals Gauvain het noemt die er een enorme hoeveelheid gin door doet, praten ze over hun jeugd die zo dichtbij is en zo vreemd, en over de mensen uit zijn dorp dat in de vakantieweken ook haar dorp was. Voor allebei dezelfde mensen, dezelfde omgeving, maar ze slagen er zo zelden in de beelden te laten samenvallen.

Ze hebben fietsen gehuurd en rijden het eiland rond dat overal even chaotisch is tot en met de gladde granieten zwerfkeien van de Baai Patate met zijn oorverdovende, enorme rollers.

's Avonds lopen ze voor de laatste keer over de lichtende strook langs de zee, met hun blote huid in de bijna vloeibare wind; daarna duiken ze in hun bed, vlak bij de rand van het water, te midden van het gekras en het gebrul.

Conan komt hen ophalen om hen naar Mahé te brengen. Ze zullen de laatste nacht doorbrengen in de auberge Louis XVII, waar de waardin voor de duizendste keer de legende zal vertellen van de kleine Capet, de zoon van Lodewijk XVI, die hier aankwam met zijn servies met het wapen van de Bourbons erop en er de rest van zijn leven doorbracht onder de naam Pierre-Louis Poiret.

Morgen gaan ze uit elkaar, en uit elkaar gaan betekent voor hen elkaar kwijtraken, misschien voorgoed. Ze hebben al verschillende keren 'voorgoed' meegemaakt.

In haar vruchteloze verlangen om het uiterste uit hem te halen, wil George deze avond alles van hem, zich eindeloos laten liefkozen met aanwijzingen ter ondersteuning. Ze laat over het algemeen het initiatief tot de verschillende stappen liever aan hem over... wanneer hij meent dat ze haar portie inleidende handelingen wel heeft gehad en het tijd is over te gaan tot het vervolg... is het vaak nog een beetje vroeg. Net iets te vroeg, eigenlijk heerlijk frustrerend. Ze waardeert de extase van de liefde nog meer als er een vleugje frustratie bij komt. Juist het precaire van liefkozingen maakt ze zo waardevol. En Gauvain ontroert haar wanneer hij na lang wachten op zijn knieën gaat zitten met een bijna smartelijk, in zichzelf gekeerd gezicht – nu is het zijn beurt – met gefronste wenkbrauwen en een bezeten blik, alsof hij de Anapurna gaat bestormen, en hij haar met woeste vastberadenheid op zich trekt. Dan vrijen ze zittend, tegenover elkaar, waarbij ze elkaar aankijken tot de grens van het draaglijke.

Die avond zal ze hem niet vast tegen zich aan hoeven te houden: hij maakt absoluut geen aanstalten om op te staan na het vrijen. Hij rust uit tegen haar natte dij in de intieme geur van hun liefde en heeft geen haast om de sporen van hun genot uit te wissen. Marie-Josée keurt dit soort losbandigheid ongetwijfeld af. Als de tijd van ontucht achter de rug is, dan spoel je je schoon, je fatsoeneert je kleren en je wordt weer een keurig persoon die zijn kinderen recht in het gezicht kan kijken. Gauvain scheen verrast te zijn de eerste keer dat George geen afkeer liet blijken van zijn gemorste sperma en daarentegen klaagde dat hij haar in de kou liet liggen om naar de douche te rennen. Zij was niet van plan zich te wassen, al was het alleen maar om te breken met het smerige ritueel uit haar jeugd, uit de tijd dat iedere seconde het gevaar van bevruchting groter werd en geen enkele eau de cologne, al werd deze op de plaats des verderfs zelf gespoten, kon garanderen dat je hiervoor niet gestraft werd. Ze blijven dus ineengestrengeld liggen en zorgen er wel voor niet over de toekomst te praten.

Hun toekomst, morgen vliegen ze in tegengestelde richtingen weg. George zal naar Pointe Noire schrijven, poste restante, zoals gebruikelijk. Hij zal om de twee weken antwoorden, wanneer hij weer aan land komt als alles goed gaat. Om wat te zeggen? 'Het waait hard, mevrouw...' Wat een trieste gedachte om van een aalscholver te houden. In ieder geval loopt hij op die zeeën minder gevaar.

George zal maar net genoeg hebben aan de vijftien uur die de terugreis duurt om weer tot zichzelf te komen, om al haar onderdelen weer op hun plaats te brengen, te beginnen bij haar geslacht. Stomme kut, ja, ik heb het tegen jou. Je zult een beetje rust krijgen. Dat zul je wel nodig hebben, meid! Tien dagen lang voortdurend lastig gevallen, doorkruist, opgevuld, verkracht en toch altijd maar klaarstaan, als een echt padvindertje! Ik ben je slavin geweest en je hebt me wel te pakken gehad. Rare figuren kunnen er zo onder je huid schuilen. Maar het zijn niet altijd dezelfden die de wet kunnen voorschrijven.

Het feest is over, meid!

6
PAS OP: GEVAAR!

Zeg me dat dit alles snel over zou gaan als ik met Gauvain zou samenleven en dat geen van ons zijn leven ingrijpend moet veranderen, vooral hij niet.

Zeg me dat het dwaas zou zijn op je lichaam te vertrouwen, dat dit wispelturig is en de geest kan meevoeren tot onverstandige keuzen die algauw rampzalig zouden blijken te zijn.

Zeg me dat als ik die liefde wil behouden, ik moet accepteren haar te verliezen.

Want op het ogenblik kan ik m'n draai niet meer vinden. Ik beweeg me aan de rand van mijn bestaan, in een decompressiesluis waar ik tracht af te kicken van de weldadige drug die het is om aanbeden te worden. Als ik weer aan de oppervlakte kom, zal ik ook opnieuw moeten wennen aan de zeer gematigde liefde van Sydney, zijn magere schouders, zijn al gebogen rug, zijn nonchalance, terwijl ik de compacte spieren van Gauvain nog onder mijn handen voel en zijn hartstochtelijke persoonlijkheid nog steeds bij me is. Zoals een jong meisje haar eerste liefdesbrief bij zich draagt, zo draag ik het blaadje ruitjespapier bij me dat hij me op het vliegveld toestopte, 'voor als je weer eens uit mijn leven verdwenen bent'. Evenals door de tekst, word ik geroerd door dat zorgvuldige handschrift waarmee hij de woorden foutloos spelt, zoals vroeger de goede leerlingen dat hadden, die als besten van het departement de lagere school hadden doorlopen: 'Eerst had ik de indruk dat alle dagen op elkaar leken en dat het zo zou blijven tot mijn dood. Sinds jou... vraag me niet het uit te leggen. Ik weet alleen dat ik je in mijn leven wil houden, en af en toe in mijn armen als je het goedvindt. Jij beschouwt wat ons overkomt als een soort ziekte. Als het dat is, wil ik niet genezen. Het idee dat jij ergens bestaat en soms aan me denkt, helpt me te leven.'

Gelukkig ken ik Gauvain wel zo goed – of denk ik hem te kennen? – dat ik niet bang ben dat hij door een grote hartstocht de liefde voor zijn vak, dus zijn levenslust, voor lange tijd kwijtraakt. De zee zal weer de overhand krijgen, hem het gevoel voor zijn werkelijke waarden teruggeven, hem er misschien toe brengen mij enige tijd te verafschuwen omdat ik hem uit de koers heb gebracht. Als dat helpt, hoop ik het voor hem, want ik voel me in deze relatie al te zeer de winnares, dus de schuldige. Ik heb de indruk zoveel minder dan hij te lijden onder wat ons overkomt en er zoveel meer plezier van te hebben omdat ik zonder wroeging geniet van de ongepastheid van de situatie.

Sydney weet niets, of heel weinig. Ik wil Gauvain niet als een prooi aan hem aanbieden, het zou een ongelijke strijd zijn en ik zou geneigd zijn mijn aalscholver te verraden, niet langer solidair met hem te zijn wanneer ik beschrijf hoe hij is aan Sydney, voor wie intelligentie op de eerste plaats komt, zelfs in liefdesverhoudingen. Hij zou me laten zien dat ik van een koddebeier houd, dat dat een heel fijne ervaring is, en ik zou dan, deels uit lafheid, deels om het zelfrespect van Syd te sparen, niet verder uitleggen wat me zo hevig aan Lozerech bindt en wat ik zelf ook niet kan verklaren. Al kan ik dan niet liegen, ik ben gelukkig wel goed in weglaten.

Ik neem alleen Frédérique en François in vertrouwen. Mijn zus begint zich af te vragen wat ik nog te zoeken heb in dit feuilleton zonder eind en moedigt me aan m'n zinnen eens te verzetten. Ze is een sentimenteel maar serieus iemand, getrouwd met een milieudeskundige, een vriendelijke sul met een baard zoals gebruikelijk, een enthousiast kampeerder, bergbeklimmer en trekker die dus 's avonds wil slapen en 's zondags vroeg een klein 'wipje' wil maken, voordat hij 'm smeert naar het stadion waar zijn vrienden op hem wachten. Zo althans stel ik me hun seksleven voor, intuïtie die wordt bevestigd door het zuinige gezicht dat mijn zus trekt als ik haar mijn schandelijke ontsporingen beschrijf, in de heimelijke hoop haar uit haar evenwicht te brengen en haar zover te krijgen dat ze gaat scheiden, wat ik noodzakelijk vind voor haar ontwikkeling.

'Als ik bedenk dat jij me Frédérique met een Q noemde in die tijd! Voor een George zonder S heb je geen gebrek aan R in ieder geval!' zegt ze, de traditie uit onze kindertijd voortzettend van woordspelingen en -spelletjes.

François daarentegen vindt mijn avontuur met Gauvain te romantisch om het als een alledaagse liaison te beschouwen. Elke keer dat ik terugkeer van mijn escapades informeert hij naar mijn gevoelens en hem kan ik alles vertellen want hij is tegelijkertijd een oude vlam, een trouwe vriend, een arts en een man die bovendien... haast een vrouw lijkt, met zoveel eigenschappen in zich verenigd als je maar zelden bij een en dezelfde persoon aantreft.

Aan mijn Amerikaanse vrienden vertel ik niets, behalve aan Ellen, die zo dol, al te dol is op zulke avonturen die ze onveranderlijk in verband brengt met de seks, en die beweert dat ze aan mijn gezicht en zelfs aan mijn manier van lopen kon zien 'dat ik net weer eens vorstelijk was geneukt'. 'Je hebt een bepaalde manier van heupwiegen en een idiote gelukzalige uitdrukking op je gezicht die er niet om liegen,' beweert ze.

Hoe kan ik haar doen geloven dat, ja, de seks me aantrekt bij

Gauvain, maar dat het tegelijkertijd veel meer is dan seks?

Toch was ik blij en zelfs in heel wat opzichten opgelucht dat ik Sydney weer terugzag. Ik had zin om 's avonds in bed samen de krant te lezen, om commentaar te leveren op wat er in de wereld gebeurt en onze discussies over kunst en literatuur voort te zetten. Ik miste ook zijn humor en de manier waarop we aan een half woord genoeg hebben om elkaar te begrijpen. Met hem vond ik mijn plaats terug in mijn eigen land, de wereld van de geletterden, van hen die analyseren wat ze beleven, die eindeloos discussiëren en theoretiseren, die 'zichzelf ter discussie stellen', zoals hij graag zegt. Gauvain lacht graag maar bij humor voelt hij zich niet op zijn gemak en hij heeft niet genoeg afstand van de dingen van alledag om over zichzelf na te denken: hij leeft en functioneert als een wolf en verlangt er niet naar iets anders te worden dan een wolf. Hij jaagt om te leven en als hij daar een wilde vreugde aan beleeft, is dat mooi meegenomen. Als hij er alleen maar narigheid van zou hebben, zou hij net zo handelen. Zijn doel staat niet ter discussie, dat is: zorgen dat zijn wijfje en zijn jongen te eten hebben, en zijn werk is heilig want dat is nu eenmaal zijn wolvenlot.

Hij is maar één keer van zijn pad afgestapt, voor mij en uit naam van motieven die voor hem gewoonlijk weinig tellen: het genot, een onbegrijpelijke aantrekkingskracht. Zijn dat soms niet de bekoringen van de Duivel zelf?

Wat mezelf betreft, ik verbaas me evenzeer over het stilzwijgen van mijn lichaam nu als over het geschreeuw dat het laat horen als ik bij Gauvain ben. Zoals je na een dronkenschap geen alcohol meer kunt zien, zo vraag ik me af hoe ik me als een seksmaniak heb kunnen gedragen en me daar zo gelukkig bij heb kunnen voelen. Ik ben niet erg verlangend bij Sydney de laatste tijd, maar we hebben het zo druk dat het niet tot hem doordringt. Ik moet in juli definitief naar Frankrijk terug en hij heeft besloten een sabbatical year te nemen om met me mee te gaan. We zullen een huis moeten zoeken, Loïc bij een middelbare school laten inschrijven, alles verhuizen wat we in tien jaar hebben verzameld en ten slotte afscheid nemen van onze vrienden, wat in de Verenigde Staten niet zo eenvoudig is. We rennen van de ene party naar de andere en dat herhaalde afscheidnemen maakt ons op den duur depressief. Maar het is een onvermijdelijk ritueel want in Amerika hebben de vriendschap en de solidariteit, die een band scheppen tussen de docenten in een enigszins cultuurarm land, iets weg van vrijmetselarij, waarbij wij de leden van een liefdevolle maar veeleisende familie worden, die gevoelig maar heel conformistisch is. Ik verlang er echt naar het Franse individualisme weer terug te vinden, de ongedwongenheid, het gebrek aan gemeenschapszin, de interne rivaliteiten die tot kunst verheven worden...

Er is maar één stel hier dat ik echt zal missen en dat zijn Ellen Price en haar man Alan, beiden docent aan de universiteit van New York. Vooral haar, een efficiënte, praktische vrouw met het zakeninstinct waar zelfs de intellectuelen hier niet op neerkijken. Ellen is bovendien een absolute schoonheid op een typisch Amerikaanse manier, dat wil zeggen dat ze geen enkele onvolmaaktheid heeft, wat enigszins onwerkelijk aandoet. Ze is blond met heel blauwe ogen en je voelt dat ze gevoed is met het beste graan, goed van vitamines voorzien, tot op het bot in psychoanalyse geweest en gewend rijkdom en comfort als vanzelfsprekend te beschouwen en verdriet als een ziekte, kortom een rasecht produkt van de us technologie.

Ze werkt al twee jaar aan een boek over de genietingen van de vrouw dat simpelweg *Orgasm!* gaat heten. Aangezien het feit dat ze aan de New York University doceert iedere verdenking van pornografie van haar wegneemt, heeft ze, met het alibi van de *Women Studies*, vragenlijsten kunnen versturen die schokkend brutaal en gedetailleerd zijn, aan duizenden vrouwen van alle leeftijden, en heeft ze zelfs een beurs gekregen voor onderzoek naar dit onderwerp, wat in Frankrijk ondenkbaar zou zijn. Het woord orgasme, dat bij ons in 1965 nog choquerend was, krijgt hier een bijna wetenschappelijke weerklank. Toen ze zag dat ik met een 'probleem' zat – alles is hier een probleem en alles moet opgelost of behandeld worden – heeft ze me snel de eerste versie van haar boek gestuurd, ervan overtuigd dat zij me wel eens zal leren om voluit te genieten met Gauvain.

'Je moet nagaan of alles wat dat betreft o.k. is,' zegt ze heel serieus tegen me, kwistig als ze is met dat Amerikaanse o.k. dat alles en niets betekent, waarmee je kunt zeggen ja, misschien, alles in orde, het is mooi weer, laat me met rust, we zullen zien of tot de volgende keer!

Ze beschouwt zichzelf graag als de eerste ontdekkingsreiziger van het zwarte werelddeel, aangezien Kinsey volgens haar heeft gekozen voor een al te statistische kijk op de vrouwelijke seksualiteit. De mannelijke seksualiteit, heeft ze gisteravond tijdens een symposium verklaard ten overstaan van haar verbijsterde collega's, is van zo'n rudimentaire eenvoud dat er niet meer dan tien pagina's aan gewijd hoeven te worden.

Ik verwachtte op zijn minst in haar boek het antwoord te vinden op de vraag die zoveel vrouwen zichzelf stellen: 'Is de manier waarop ik klaarkom wel de juiste?'

Maar wat is eigenlijk de definitie van een orgasme? Met veel lef stelt Ellen voor: 'Een enorme golf die ontstaat in je tenen...' Verrek! Mijn golf ontstaat heel gewoon in mijn zogeheten schaamdelen, met inbegrip van het stuitbeen, zwelt aan en bereikt zijn hoogtepunt alleen in die streek en ontneemt daarbij alle privileges aan de edelere zones en dwingt de hersenen om alleen nog maar aan het gevoel te denken. En zelfs wanneer mijn borsten worden gestreeld, een handeling die automatisch het 'schaamproces' in werking stelt, voel ik dat beneden. 'Down under', zoals ze wel van Australië zeggen.

'Wees blij,' is het commentaar van Ellen, 'dat bewijst dat je behoort tot de zestig procent vrouwen met erogene *nipples*.'

Het woord *nipple* heeft niets erogeens. Weliswaar is 'tepel' met z'n connotatie van borstvoeding niet veel beter. Ik leer bij diezelfde gelegenheid dat de *nipples* van slechts tien à vijftien procent van de mannen gevoelig zijn voor prikkeling. Die arme kerels!

Maar ze slaagt er niet in mij te beschrijven hoe die golf zich van de borst naar de geslachtsorganen voortplant. Langs een zenuw, de schaamzenuw dus? Langs een Chinese energiebaan? Een geestelijk traject? 'Ik zou zeggen dat in de liefde alles buik wordt, zoals jullie in Frankrijk zeggen. Dat is een heel leuke uitdrukking van jullie,' verklaart Ellen.

Haar boek heeft althans de verdienste gehad dat het me heeft gerustgesteld wat betreft die 'vrouwelijke ejaculatie' waarvan ik met een toenemend minderwaardigheidscomplex de opgetogen beschrijvingen las bij De Sade en consorten. 'Ze ontlaadde zich onstuimig... Die onuitputtelijke hoeveelheid geil die ze in voorraad scheen te hebben... Ze overspoelde driemaal achtereen de zwans van de markies...' Allemachtig! Waren wij dan invalide wat de ontlading betreft, ik en die paar vriendinnen die ik had kunnen ondervragen? Helemaal niet, heeft de schrijfster me gerustgesteld. Enquêtes tonen aan dat het verschijnsel slechts heel sporadisch bij een heel enkele vrouw is waargenomen. Oef!

'Geen enkele klier in die streek, behalve in uitzonderlijke gevallen de klieren van Skène, zou een duidelijke hoeveelheid vocht kunnen afgeven,' wordt me beslist verzekerd door Ellen die vagina's bestudeert zoals een aardrijkskundige de rijkdommen van het stroomgebied van de Wolga.

Op één punt was ik nog ongerust: de clitoris van drie duim lang die door sommige erotische schrijvers en een paar etnologen wordt beschreven.

'Hersenspinsels van mannen,' bevestigt Ellen, 'en grove onwetendheid wat betreft de anatomie van de vrouw en de werking van de intumescentie.'

Ach, zit dat zo!

Het werk van Ellen geeft echter geen enkele verklaring voor de intumescenties van het hart en haar boek heeft meer weg van een keukenrecept of een handleiding voor de doe-het-zelver dan van filosofische gedachten over het genot. Ik durf haar er niet op te wijzen dat Cowper Powys of Reich een uitleg geven van het genot en er een bepaalde waarde aan toekennen, aan alle vormen van genot, zonder zoals zij in het stachanovisme van de seks te vervallen.

'Hoeveel heb je er bijvoorbeeld geteld in die week met Lozerech?' vraagt ze als ik weer terug ben, ervan overtuigd dat ik het genoteerd heb.

Ze bekijkt me enigszins meewarig wanneer ik haar antwoord dat mijn metingen vaag zijn en dat ik soms net zoveel houd van de lange slalom die naar de eindpaal leidt als van het einde zelf. Omdat je nooit helemaal van tevoren weet langs welke weg je hijgend, smekend of tot het uiterste gedreven, naar de laatste poort wordt gevoerd, is dat parcours nou juist bepalend voor het eindgenot en maakt dat het verschil uit met zelfbevrediging, die je telkens weer kunt verkrijgen met een minimum aan inspanning en met behulp van twee of drie al vaker gebruikte fantasiebeelden die je ergens achter uit een la hebt opgediept en die je aan niemand zou durven vertellen.

Waarschijnlijk moet je eruit concluderen dat het verlangen geen vorm heeft die in woorden te vatten is: een roos is geen roos is geen roos. Dat is heel verheugend, met alle respect voor Ellen.

Het is altijd gevaarlijk een minnaar die niet zo pril meer is te verplanten.

Als ik weer in Frankrijk ben, is mijn kijk op Sydney niet meer dezelfde. In de States was hij met Loïc het essentiële element in mijn leven en gaf hij me warmte. Hier heb ik mijn familie weer, mijn vrienden van vroeger en van elders, mijn geliefde Franse schrijvers, mijn vertrouwde kranten, met inbegrip van de slechtste die me vertellen over de tegenspoed van Guy Lux, over het academisch zwaard van Joseph Kessel, over de affaire Naessens of over Bettina, echte Franse roddel, veel boeiender in mijn ogen dan de scheiding van Lana Turner, het gewicht van Elvis Presley of de schurkenstreken van Frank Sinatra. Soms scheelt het niet veel of ik vind dat Sydney eruitziet als een Texaanse boer!

Natuurlijk is dit niet eerlijk, vooral niet omdat Sydney met wellust zijn favoriete cultuurgrond heeft betreden, de Franse Nouveau Roman, die hij alleen verwijt nog 'roman' te heten. Hij bevindt zich eindelijk in het gebied waar dit literaire genre ontstond dat volgens hem alle andere overbodig maakt. Hij ademt de geur van de Nouveau Roman in en ontdekt wat voor personen de schrijvers zijn, vrolijke kwanten of vervelende theoretici, zoals iedereen, zonder karakteristieke trekken of speciale kleren. Ik vermoed dat hij daarin teleurgesteld is. Maar hij zal zich dit hele jaar kunnen wijden aan het werk dat hij al twee jaar van plan is te schrijven en dat zijn voorbeelden waardig zal zijn, want hij zorgt er wel voor er ieder sprankje leven uit te halen waardoor het per ongeluk over één kam geschoren zou kunnen worden met een of ander romantisch werkje.

Al sinds een paar jaar heeft hij zich, dankzij de gunstige omstandigheden aan de Amerikaanse universiteiten, kunnen verschuilen in de geruststellende cocon van minachting voor succesliteratuur. In hun ogen konden alleen die schrijvers genade vinden die nauwelijks verkochten en die gruwelijk vervelend waren om te lezen, met als toppunt een recente 'structuralistische' roman, waarin de hoofdpersoon voor alle zekerheid van zijn voornaam 'De Structuur' heet en waaruit Sydney denkt ideeën op te doen. Ik was absoluut van goede wil toen ik eraan begon maar naarmate ik de bladzijden omsloeg, veranderde deze goede wil in *vastbeslotenheid* om door te gaan, en ik ben bij het woord 'einde' aangekomen dankzij mijn laatste restje wanhopige wilskracht! Is dat de indirecte invloed van Gauvain? Het lukt me niet meer te geloven in de oprechtheid, de spontaniteit van Sydney als hij probeert aan te tonen dat zijn roman zo sober, zo droog is, zonder ook maar een schijntje karakter of een vleugje actie, ter wille van zijn streven naar uiterste nauwkeurigheid en zuivere literatuur. Ik zie er alleen maar een verpletterende eentonigheid in. Het alternatief is of mezelf als onbekwaam beschouwen of Sydney en zijn kornuiten als grappenmakers, maar dan uiterst serieuze grappenmakers. Ze vergeven me trouwens mijn gebrek aan enthousiasme: ik ben per slot van rekening maar een geschiedkundige.

We nemen maar twee weken studievakantie die zomer, bij Frédérique in Bretagne. Ik bereid de colleges voor die ik moet geven aan Paris VII als het studiejaar weer begint en werk aan het boek dat uitgeverij PUF me gevraagd heeft te schrijven op grond van mijn proefschrift over 'Vrouwen en Revoluties'.

Wanneer ik Gauvain toevallig tegenkom in Raguenès, wisselen we een paar beleefde woorden. Alleen onze blikken stellen ons gerust: wij zijn het, wij die, in andere tijden, op andere plaatsen, elkaar zo goed kunnen omhelzen; wij die deze hele winter een correspondentie hebben gevoerd waarvan beleefdheid niet het voornaamste kenmerk was. Want we zijn elkaar steeds blijven schrijven; hij stuurde mij vanuit Pointe Noire een heel pak van zijn dagelijkse aantekeningetjes, zo om de drie à vier weken, wanneer zijn schip binnenliep voor proviand en stookolie en om de vis uit te laden; en ik stuurde poste restante brieven die maar niet wilden corresponderen met de zijne, pennestreken in het water, vergeefse pogingen een aalscholver te bereiken die voortdurend onder water zat.

In feite was deze correspondentie alleen maar goed om duidelijk te maken hoe bizar onze relatie is: Gauvain heeft geen zichtbare sporen in mijn leven achtergelaten en kent niet een van de plaatsen waar ik heb gewoond behalve het huis waar ik als kind woonde. Hij is slechts mijn droomleven en ik schrijf hem vanuit een land waar alles kan en niets waar is. Maar ik ben gehecht aan deze briefwisseling: de magie van het schrijven, van elke vorm van schrijven mits men over een minimum aan techniek beschikt, mist haar uitwerking niet, zelfs niet op iemand die tot voor kort dacht dat schrijven betekende 'het laatste nieuws doorgeven'. Ik provoceer hem een beetje en choqueer hem juist genoeg om hem tot die vorm van genot aan te zetten, daar de andere ons voorlopig ontzegd zijn.

We waren van plan elkaar één of twee weken te zien in Casamance, als zijn tonijncampagne bijna afgelopen zou zijn en voordat hij weer naar zijn gezin ging in Larmor. Die verplichting om elkaar ver van onze respectieve woonplaatsen te ontmoeten stond me wel aan, want daardoor werd ons avontuur nog onwerkelijker, wat waarschijnlijk de enige manier was om het voort te laten duren.

We hadden al een afspraak gemaakt voor eind april in Dakar vanwaar we naar Casamance zouden gaan waar een boot voor ons klaar lag die Gauvain had gehuurd.

Maar op 2 april kreeg Marie-Josée op weg naar Concarneau een ernstig auto-ongeluk en haar jongste zoon Joël moest met een schedelbasisfractuur in coma naar Rennes worden vervoerd.

Gauvain belde me op in Parijs, zoals gewoonlijk zonder een woord te zeggen over zijn gevoelens, om me droogweg te laten weten dat we er niet meer op hoefden te rekenen samen weg te gaan of elkaar te zien, 'voorlopig', voegde hij er nog wel aan toe. Hij zou zeker zijn hele verlof, drie maanden, in Larmor moeten doorbrengen. ''k Zal je schrijven,' zei hij ten slotte voordat hij heel snel ophing. Communiceren is duur vanuit Senegal!

Waarschijnlijk tengevolge van het irreële van onze relatie, lukt het me nooit meteen om in mijn werkelijke leven de teleurstelling en het verdriet te voelen die zich in mijn droomleven voordoen. En verder moet ik toegeven: in een bepaald opzicht ben ik opgelucht dat de paasvakantie nu weer voor Loïc is. De activiteiten van het liefdesleven gaan altijd ten koste van je bezigheden als moeder of van je beroep, waardoor je je voortdurend schuldig voelt. Ik had nog niets tegen Sydney gezegd... Daar was ik blij om. Lafheid wordt soms beloond.

Door deze verandering in mijn programma zal ik ook Ellen kunnen ontvangen die naar Frankrijk komt, meer orgasmologe dan ooit. Haar boek loopt heel goed in Amerika maar haar huwelijk maakt een vrije val door. Het is soms niet makkelijk het succes van je vrouw te verdragen, en helemaal wanneer het gebaseerd is op de seks en wemelt van de voorbeelden en anekdotes waarin de fallus van Al meestal niet de heldenrol speelt! Hij wordt met wulpse of medelijdende blikken aangekeken: is dat die man van 'het Chinese tourniquet'? het versnelde vibrato van de pols? Heeft Ellen hem te pakken gehad met haar pubococcygeus zoals ze op bladzijde 74 beschrijft?

Aangezien het orgasme in Frankrijk in de mode komt sinds de recente vertaling van het *Kinsey Rapport*, hoopt Ellen dat haar boek ook meteen vertaald zal worden. Ze loopt radiostations, damesbladen en kranten af, waar haar goed gedocumenteerde lef, de mengeling van onbevangenheid en cynisme, haar Amerikaanse accent en haar naïeve poppegezicht wonderen doen. Ze organiseert bij ons thuis sessies, omdat ze van plan is aan haar boek een hoofdstuk toe te voegen over het latijns-christelijke orgasme. Deze avonden waar de gesprekken algauw over het zinnelijk genot gaan, geven haar een prachtige gelegenheid tot een soort practicum, waarbij ze edelmoedig ook Sydney en mij probeert te betrekken.

Maar ik constateer niet zonder spijt dat de herinnering aan Gauvain nog genoeg in mijn lichaam zit vastgeklonken om me van deelname aan dit soort spelletjes te weerhouden.

Toch schrijft mijn aalscholver me niet meer sinds het ongeluk van zijn vrouw, om zichzelf te straffen, daar ben ik van overtuigd. Zo hebben ze bij de primitieve volkeren behoefte aan een verzoeningsrite. Volgens Gauvain wordt alles daarboven in de boeken bijgehouden en zal men op zekere dag boete moeten doen. Die dag is voor hem gekomen en trouwens, Gauvain staat altijd klaar om boete te doen. En het lot drukt op hem zoals het graag doet bij hen die zich blootstellen aan zijn slagen en niet van mening zijn dat geluk hun toekomt. Voor Lozerech is tegenspoed normaal.

Marie-Josée is weer thuis in Larmor, maar ze zal nog wekenlang moeten liggen in een gipskorset. Joël verkeert niet meer in levensgevaar maar hij heeft last van psychomotorische storingen en zal waarschijnlijk nooit meer een normaal leven kunnen leiden. De moeder van Marie-Josée is bij haar dochter ingetrokken om haar te verzorgen en ze heeft haar man die blind is meegenomen. Ze zullen nu niet meer weggaan. Gauvain is ingesloten door zijn familie, Bretagne, tegenslagen, zodat ook hij zit opgesloten in een keurslijf waardoorheen mijn woorden hem niet meer kunnen bereiken.

Na vier maanden stilzwijgen en vlak voordat hij naar Afrika vertrekt, heeft hij me een korte brief gestuurd waarin hij me vergiffenis vraagt voor het feit dat hij niet egoïstisch kan zijn. Bij het zien van zijn kleine, nette handschrift op de beige enveloppe van slechte kwaliteit was ik meer ontroerd dan mijn bedoeling was. 'Karedig, ik wil dat je weet dat je het beste deel van mijn leven bent,' schreef hij op zijn gebruikelijke gelijnde blaadjes van klein formaat, zoals je ze in kruidenierswinkels annex café aantreft. 'Iedere keer dat we elkaar ontmoetten, dacht ik dat het misschien voor ons het einde van de weg was. Je weet hoe verdomd fatalistisch ik ben. Maar ik heb het niet gemakkelijk gehad in mijn leven. Soms denk ik aan hoe het had kunnen zijn als de vooroordelen van jouw familie en jouw weigering van vroeger vertrouwen in mij te hebben, ons niet gebracht hadden waar we nu zijn. Hou een plaatsje voor me open in je hart. Wat mij betreft, ''me ho Kar''. Zoek maar op in je Bretonse woordenboek. En zo zal het altijd blijven. Maar het leven heeft het niet zo gewild.'

Ik heb hem geen antwoord gestuurd omdat hij me niet eens vertelde of hij nog poste restante zijn brieven op zou halen. En om hem aan te sporen van mij te houden leek me bijna oplichterij. Hoe zou ik een liefde van hem kunnen verlangen die hem ziek van wroeging maakte terwijl die liefde mijn leven juist meer zin gaf?

Terwijl de maanden voorbijgingen, heb ik gedeeltelijk weer op Sydney gericht wat ik voor Gauvain bestemd had. Het is vaak het beste van jezelf wat je bewaart voor je avontuurtjes, al wil je dat niet toegeven. We hebben samen verder gewerkt aan de Franse tekst van zijn boek dat in het voorjaar bij Stock is verschenen. Hij verwacht er niet veel van behalve de waardering van zijn vrienden en van de paar critici die hij bewondert. Dat is althans wat hij zichzelf wijsmaakt.

Wat mij betreft, ik verdeel mijn tijd tussen mijn nieuwe werk en Loïc die opnieuw moet wennen aan een land dat het zijne niet meer is. Je woont niet ongestraft tien jaar in Amerika op een leeftijd waarop je interesses en je bestaansredenen gevormd worden. Gelukkig word ik bijgestaan door Jean-Christophe. Hij heeft twee dochters bij zijn nieuwe vrouw en is daar heimelijk over teleurgesteld. Zijn zoon heeft daardoor meer prestige gekregen in zijn ogen en in verband met hem zien we elkaar, zonder rancune of verbittering, in zo'n situatie van hartelijke onverschilligheid die alleen met een ex-echtgenoot mogelijk is. Ik merk dat ik nu wel met hem zou kunnen opschieten. Pas wanneer mensen geen invloed meer op je hebben, weet je hoe je met ze moet omgaan en wanneer je niet meer van ze houdt, hoe je hun liefde kunt winnen.

Met Sydney kom ik ook langzaam aan zover. Een zacht windje, een gladde zee. Maar als je vijfendertig bent, is windstilte dan het hoogste goed? Misschien, als ik kijk naar Ellen en Alan die bezig zijn te scheiden, zij enthousiast, hij verbitterd en vol afkeer van zichzelf; of die lieve François en Luce bij wie de tegenspoed zich zojuist heeft aangediend in de vorm van een piepklein knobbeltje in de linkerborst van Luce. Ja, als ik denk aan de verstikkende banden waarmee Lozerech voortaan vastzit aan een Marie-Josée die gebroken is door de invaliditeit van hun zoon.

Ja, waarschijnlijk moet je dit liefdevolle evenwicht zonder passie beschouwen als geluk.

7
DISNEYLAND

Sommige geliefden kunnen elkaar jarenlang niet zien zonder dat ze ooit vreemden voor elkaar worden. Vanaf de eerste vrije blik die Gauvain en George elkaar toewierpen, wisten ze zeker dat de drie jaren, die uit zoveel maanden en zoveel weken bestonden, voor hen niet meer dan een lang intermezzo waren geweest.

Deze keer had hij als eerste de stilte verbroken. Na een vangst die zwaarder was geweest dan anders, daar helemaal in Afrika waar hij zich zo ver verwijderd voelde van zijn wortels, van de miezerige regen in Finistère, van de geur van zijn eigen oceaan, zo alleen zonder vertrouwde armen, zonder een comfortabel huis dat van hem was, had hij plotseling de behoefte gevoeld om zich over zijn eenzaamheid te beklagen. En wie zou hij beter dit onfatsoenlijke gevoel, want 'balen' was voor hem onfatsoenlijk, kunnen opbiechten dan aan haar die al in het verleden naar hem had weten te luisteren?

Het waren maar net twee blaadjes om haar te zeggen dat het niet fantastisch ging maar dat het slechter kon, dat de vangst die winter niet veel had opgeleverd en dat als je je voor zo weinig moest kapotwerken en een leven van een galeislaaf moest leiden, je net zo goed thuis piepers kon poten.

Ook met George ging het niet fantastisch, wat de liefde betreft, en na een paar brieven stak het verlangen elkaar terug te zien weer de kop op, het verlangen samen te slapen, zich aan elkaar te verzadigen, al was het maar voor een paar dagen.

Het probleem was dat Gauvain niet wist hoe hij aan het geld voor de reis moest komen, met de schrale inkomsten die hij had overgehouden aan de wintercampagne. George had dat jaar wel wat geld, maar pas na lang onderhandelen kreeg ze het voor elkaar dat hij een 'lening' aannam waarmee hij een vliegticket naar Jamaica kon kopen, waar Ellen Price hun haar appartement had aangeboden. Hij wilde haar per se in maandelijkse termijn terugbetalen, want hij kon niet tegen de gedachte 'door een vrouw onderhouden' te worden, zoals hij plechtig zei.

Gauvain had noch de tijd, noch de verbeeldingskracht, noch de vrienden die nodig waren om zo'n komplot op poten te zetten, dus nam George het op zich om het fijngevoelige mechanisme af te stellen dat hen slechts enkele uren na elkaar naar het vliegveld van Miami moest brengen waar ze elkaar zouden ontmoeten, hij komend vanuit Afrika en zij vanuit Montréal waar ze een reeks colleges gaf.

Zij arriveerde als eerste en heen en weer lopend voor de gang met glazen wanden waaruit Gauvain te voorschijn moest komen als alles volgens plan verliep, vroeg George zich eens te meer af aan welke kracht zij tweeën gehoorzaamden. *'Het onderlijf,'* zei de *dueña.* Natuurlijk. Maar waarom nu juist dat ene onderlijf? Er waren er te kust en te keur, in Afrika en in Europa, onderlijven zat en voor alle smaken. En toch, hoe verder het leven voortging – en George was nu bijna achtendertig – hoe meer ze met kleine of grotere liefdes experimenteerde, hoe meer mannelijke geslachtsorganen ze tegenkwam met hun eigenaren er achteraan, hoe meer relaties ze aanknoopte met de hersenen die zich erop lieten voorstaan die organen te besturen, des te unieker scheen haar de relatie met Gauvain toe. Des te meer ontdekte ze ook dat je geslachtsdelen niet kunt herleiden tot hun meester. De humorvolle intellectueel kan zich ontpoppen als een ordinaire drilboor, de verleider als een aanbidder van zijn penis, en in de boerenkinkel kan de meest fijnbesnaarde edelsmid schuilen.

Op deze edelsmid wachtte George om een charter naar Kingston te nemen waar ze tien dagen zouden doorbrengen in het appartementje dat Ellen hun had geleend. Net als veel van hun Amerikaanse en Canadese collega's, hadden Al en Ellen een paar jaar eerder een vakantieflatje gekocht van de Montego Beach Club, een semiluxueus immens condominium met een terras dat uitstak boven een niet minder immens strand. 'Precies wat je nodig hebt, ik heb het in soortgelijke omstandigheden ook al eens gebruikt,' had Ellen gezegd, die het meest in haar sas was als ze overspel aanmoedigde.

Maar toen ze een paar uur later het gigantische betonnen konijnehok zag in een ononderbroken rij flats die er allemaal even deprimerend uitzagen, sloeg George de schrik om het hart. Hoe moest ze hier tien dagen doorbrengen met als enige toevlucht 'ik hou jou vast, jij houdt mij vast bij m'n paal'? Zou Gauvain er geen spijt van krijgen zich in de schulden te hebben gestoken? Zouden ze in elkaar teleurgesteld worden? Die dag zou onvermijdelijk komen. En met achtendertig jaar begin je je wat zorgen te maken, wat je lichaam betreft. En je neemt je 'kennisjes', die je 'vriendinnen' noemde toen je twintig was, eens goed op, je informeert naar wat er zoal op seksueel gebied wordt gedaan, naar wat mannen tegenwoordig lekker vinden en wat vrouwen doen.

Uit dezelfde kinderachtige bezorgdheid had George besloten voor het eerst van haar leven naar pornofilms te gaan; ze was toch ver weg van huis, in Montréal, waar ze elk jaar een maand lang een reeks colleges gaf aan het Instituut voor Feministische Studies van de Lavaluniversiteit. Ze was volkomen ontdaan weer buiten gekomen. Op het reusachtige scherm, te midden van gniffelende kennissen, had ze het monotone gerampetamp zielig gevonden en de seksualiteit een onbeduidend tijdverdrijf. Op deze manier zou ze het waarschijnlijk ook bekijken als ze oud was, wat volgens haar niet lang meer kon duren. Dat was tenminste te hopen, want hoe kon je het anders verdragen oud te worden?

Ze kwam al op de leeftijd dat een lange reis, na een maand van hard werken in een afmattend klimaat, je geen goed doet. Tot overmaat van ramp had ze tijdens de vlucht naar Miami in een tijdschrift een uitgebreid artikel gelezen over de erbarmelijke mening die vrouwen hebben over hun geslachtsorgaan. Veertig procent van hen rangschikte het in de categorie 'nogal lelijk'. Wat zou Gauvain van het hare vinden? Bestonden er trouwens wel echt leuke kutten die objectief gezien aantrekkelijk waren en niet alleen in de ogen van stomme, verliefde ezels? George had altijd haar twijfels gehad over haar 'roompotje', zoals haar vriendinnen uit Québec het noemden, en de liefde kon volgens haar alleen maar voortduren doordat de mannen er nooit goed naar hadden gekeken. En zij die het van dichtbij hadden bekeken, de erotische auteurs, versterkten alleen maar haar ergste vrees en verknalden haar eigen erotiek. Zelfs de meest gerespecteerde schrijvers, een Calaferte bijvoorbeeld, sloten zich wat dit betreft aan bij de obscene groep die als enige doel scheen te hebben dat de wijfjes zich neerlegden bij de afzichtelijke minderwaardigheid van hun geslacht. Hoe kun je blij zijn met 'een stompzinnige spleet die een maaswerk van tentakels insluit, bezaaid met weke zuignappen, vol spijkertjes, mesjes... en onzichtbare, glibberige, scherpe haakjes'? Hoe kun je aan iemand die van niets weet en die deze schrijvers niet heeft gelezen, je 'ovariale waanzin die nog niet door de dikste paal kan worden bevredigd' laten zien, of 'dat gapende gat, dat lekkende en etterende vuil'?

Tegenover de 'scharlaken toorts', de 'keizerlijke scepter', de 'goddelijke lans', die door dezelfde auteurs is beschreven, bleef er niets anders over dan te verzinken in schaamte.

Uit vrees dat iemand haar weke zuignappen of haar glibberige haakjes zou opmerken, had George altijd haar benen gesloten zodra iemand zijn blik op haar intieme anatomie liet rusten. O ja, het apparaat van de man wekt de lachlust op, met zijn bungelende slurfje en zijn twee oude zakjes die al bij de geboorte verfomfaaid zijn. Maar de man heeft dat verbijsterende trio weten te verkopen en te doen respecteren. De vrouwen hebben het minder goed aangepakt. George is nog steeds niet gewend aan de zeeanemoon die tussen haar dijen woont, aan haar zachte en rozetvormige windingen die de pretentie hebben de zetel te worden van de duizelingwekkendste extase en het waard te zijn dat een man vierduizend kilometer reist om ze terug te zien! Dat moest wel een misverstand zijn.

Gauvain vond dat waarschijnlijk ook, dacht ze angstig, want noch in het vliegtuig, noch in de bus, noch in het appartement waar ze zojuist hun intrek hadden genomen, had hij ook maar de minste aanstalten gemaakt haar in zijn armen te nemen. Ze praten over koetjes en kalfjes, pakken hun koffers uit om zich een houding te geven en, nu het uur der waarheid nadert, stelt hij voor te gaan zwemmen voor het eten.

'Ik kan het nu veel beter, dat zul je zien.'

Voor ze naar beneden gaan, haalt hij plechtig een omvangrijk pakket uit zijn tas.

'Kijk maar 's wat er in deze zak zit, 'k heb het zelf voor je uitgezocht. Ik had helaas niks om er een mooi pakje van te maken.'

Ze opent die bruin papieren 'zakken' altijd met schrik en beven, want ze is niet aardig en ze slaagt er niet zo goed in haar teleurstelling te verbergen bij het zien van de successievelijke vondsten van haar aalscholver. Het cadeau van vandaag blijkt het afschuwelijkst van de hele serie te zijn, die toch uit behoorlijk gruwelijke voorwerpen bestaat. Ze onderdrukt een kreet van ontsteltenis bij het zien van de paarlemoeren zonsondergang met palmbomen van gekleurde koraal en inboorlingen met fluorescerende raffia jurkjes, opgeluisterd met een elektrisch peertje aan de achterkant zodat de zon rood ondergaat. Godallemachtig, Jezus Maria! Ge-

lukkig komt Gauvain nooit bij haar thuis en zal hij niet merken
dat zijn schilderij wordt bijgezet in het gruwelkabinet achter in
haar hangkast waar al de uit kokosnoot gesneden danseres ligt,
zijn eerste cadeau, de kameelharen handtas met een voering van
oranje kunstzijde of het Marokkaanse kussen met hun tekens van
de dierenriem, Waterman en Ram, erop geborduurd.

Ze omhelst hem om zich een houding te geven en de rilling van
schaamte te verbergen die ze krijgt bij de gedachte aan Sydney die
in haar koffer het verbijsterende kunstwerk ontdekt.

Gauvain bekijkt zijn cadeau vertederd, pakt het daarna weer
zorgvuldig in en bergt het op in de formica Lodewijk-xv-kast die
hij op slot doet, voor het geval dat... George trekt de bonte plastic
luxaflex voor het venster naar beneden, dan sluiten ze de deur
van hun liefdesnestje nr. 1718 met drie sloten af, de dringende
aanbevelingen opvolgend die op elke deur zijn aangeplakt. Als
Sydney haar hier zag, in deze komisch functionele omgeving, samen met een type dat er niet al te resoluut uitziet, zou hij in een
van zijn onbedaarlijke lachbuien uitbarsten die hij telkens krijgt
als hij iemand anders belachelijk kan maken. Hij lacht zelden uit
onschuldig plezier.

De kalme tropische zee, die lieve meid, begint de smetstoffen
van een te lange reis en een te langdurige scheiding langzaam van
hen af te wassen. Op hun lichamen zonder winterkleren vinden
ze stukje bij beetje de vertrouwde trekken. Maar ze voelen zich
nog vreemden voor elkaar. Die eerste avond gaan ze in een restaurant eten. De Kalabasha heeft tafeltjes vlak bij het water, zachte muziek en goede bediening, en ze nemen het voor lief dat de
Jamaicaanse wijn niet te drinken is, smakeloos en zuur tegelijk,
en dat de langoest uit de zuidelijke zeeën het niet haalt bij de Bretonse of zelfs bij de Mauritaanse. Ze spelen dat ze twee toeristen
zijn die elkaar zojuist in het vliegtuig hebben ontmoet.

'Houdt u van de zee?'

'Ik zou 't niet weten. 'k Heb geen andere keus als 't ware: 'k ben
zeeman!'

Hij zou mooi moeten zijn, de onbekende die zo tegen haar zou spreken, om George lust te doen krijgen hem mee te nemen naar haar bed! Maar hij is werkelijk mooi, mooi als een minnaar, mooi als niemand is op een universiteit, mooi als een Varensgast van Victor Hugo.

'En wat komt u doen op Jamaica, als ik vragen mag?'

'Tja, dat vraag ik me ook af! Maar weet u, 'k ben nog maar net aangekomen.'

'En u kent hier niemand? Zonde, zo'n mooie jongen als u! Ik heb misschien een vriendinnetje...'

Gauvain zegt niets. Hij kan niet spelen, hij is altijd ernstig en complimenten brengen hem in verlegenheid, behalve in bed.

De band komt hen op het juiste moment te hulp en ze voegen zich bij de paartjes die richting dansvloer gaan. De muzikanten spelen Jamaicaanse deuntjes met een Amerikaans sausje overgoten om de klanten niet af te schrikken, nu de muziek een politieke bijklank heeft gekregen. George draagt een zwart lijfje dat langs de halsuitsnijding is afgezet met zwarte kant. Ze draagt nooit zwart of kant; maar ze dineert ook nooit op Jamaica met een Bretonse zeeman. Het is een beetje ordinair, die kant, maar dat was nodig voor vanavond. Ze hebben elkaar zo lang niet gezien dat ze zijn vergeten welke taal ze spraken. Het is tegelijkertijd idioot en opwindend.

Langzaam lopend keren ze terug naar het 'condominium' aan de boulevard. De 'Curios' winkeltjes zijn gesloten, de 'supermarkets' zijn donker en de zee glanst zomaar, voor haar eigen plezier. Ze beginnen weer aan elkaar te wennen.

'Ik woon daar, op de zeventiende verdieping,' zegt George. 'Komt u nog even boven wat drinken?'

Ze kijken omhoog naar de immense bijenkast: in elke raat zit waarschijnlijk een paartje, ongetwijfeld wettig getrouwd, het is hier immers een Amerikaanse enclave... Op elk terras hoor je ijsblokjes tinkelen in de rum punch waaruit de ouder wordende mannetjes het vuur en de inspiratie putten die hun onberispelijke, keurig gekapte en okselfrisse wijfjes van hen verwachten.

In de lift wordt Gauvain eindelijk opdringerig. Met een uit-drukkingsloos gezicht drukt hij het opbollende deel van zijn broek tegen de heup van George die het met haar hand vluchtig aanraakt alsof ze per ongeluk tegen de plek aanstoot waar het wat dikker is. 'Goedenavond,' zegt de lul. 'Aangenaam,' antwoordt de hand. Hun lichamen hebben altijd goed met elkaar kunnen om-gaan. Waarom zijn ze daar niet mee begonnen? De twee andere paartjes in de lift hebben niets gemerkt. Elk stijgt onder begelei-ding van slijmerige muziek naar zijn nestje, naar de extase die in bedekte termen wordt beloofd op de affiches die de cabine sieren: 'Luieren in een lucht die is bezwangerd met de bedwelmende geuren van een tropisch eiland... Het wilde en vrije leven, om-ringd met het comfort waarvan u houdt.'

Beiden zullen met hun ellebogen op de rand van hun bedwel-mende terras leunen en zich voegen bij de twaalfhonderd paar vrije ogen die kijken naar het eindelijk verlaten strand waar enke-le zwarten in oranje uniform de plastic verpakkingen, de bierfles-sen en de tubes zonnebrandcrème oprapen. Elk smult van zijn plakje wild geluk.

George voelt nu al dat ze een pervers plezier zal beleven aan dit soort vercommercialiseerde vakantie, dat ze nooit heeft meege-maakt. Ze begint al te genieten van de platvloerse charmes, die worden versterkt door de herinnering aan al die culturele uitstap-jes die voor Sydney waren georganiseerd, in bussen met een twij-felachtig comfort, op ontdekkingstocht in de streek Berry met 'Les Amis de George Sand', of naar de Schatten van Brugge onder de hoede van mejuffrouw Pannesson, die de excursies van het Lou-vre op touw zet, vertrek vanaf Place de la Concorde, elke zondag om zes uur 's ochtends. Niets zal het plezier vergallen dat ze in zich voelt opkomen, want het wordt op een belachelijke manier door alles in de hand gewerkt. Terwijl in het echte leven alles zo lastig is.

Ze zijn nog niet binnen of Gauvain plaatst zijn lippen op haar decolleté. De zwarte kant heeft blijkbaar gewerkt. Hij glijdt met een vinger onder het bandje van haar beha tot aan haar borst, een verraderlijke handeling gezien haar zwakke punt, maar ze houdt zich in. Zich ogenblikkelijk uitkleden hoort niet bij het spel. Ze hebben tien dagen om zich als beesten te gedragen en ze wachten per slot van rekening pas drie jaar op elkaar! Vanavond zullen ze spelen dat ze Bel-Ami en de Lys dans la Vallée zijn, heeft George voor zichzelf besloten.

'Wat kan ik u aanbieden?' stelt ze voor.

'Uzelf... op een bedje.'

'Nee, niet te geloven,' roept de dueña uit, 'zoiets zeg je niet, zelfs niet in een klucht van Camoletti.' 'Juist daarom hou ik van hem,' zegt George. 'Ik kan met niemand anders op zo'n manier spelen. Dus laat me alsjeblieft met rust.' 'En die kamer,' houdt de dueña aan, 'heb je die gezien? Een Hollywood-decor van een B-*film: de verleidingsscène tussen een herder en een kasteelvrouwe.' 'Je zou hier op z'n minst cowboy kunnen zeggen,' onderbreekt George haar. 'Wat maakt het uit?' zegt de dueña. 'Hoe dan ook, die scène is alweer afgelopen als ik mijn ogen mag geloven: je herder staat stijf als een dekhengst! Misschien moet ik hier als een neger zeggen! Binnen vijf minuten word je aan het spit geregen, liefje.'*

'Het is zo heet dat je niet één borst, maar minstens alle twee zou moeten uitpakken,' koketteert George, ongevoelig voor sarcastische opmerkingen, terwijl Lozerech met zijn ene hand haar magnetisch centrum door haar dunne jurk heen beroert en met zijn andere hand probeert haar beha los te maken.

'Waarom heb je die aan met jouw borsten?'

'Om het langer te laten duren,' hijgt ze.

Ze heeft de rode lamp op hun terras uitgedaan en de jeans van de figuur die ze in het vliegtuig heeft ontmoet, opengemaakt. Hij heeft zulke mooie dijen dat hij er niet eens belachelijk uitziet met zijn broek op de enkels. Hij heeft een gebronsd bovenlichaam sinds hij op de zuidelijke Atlantische Oceaan werkt. En die plekjes kinderhuid tussen de toefjes bont... er is geen sprake meer van een lelie in welke vallei dan ook, alleen van een zeeanemoon die golft in de stroming. Laat me zien hoe je de liefde bedrijft, mooie vreemdeling, ik ben je na zo lange tijd vergeten. *Ja, dueña, hij stopt hem in me, dat grappige beige ding met zijn muts op, en op dit moment kan ik me nu eenmaal niets mooiers op aarde voorstellen dan me te openen voor deze man en, als hij diep in me zit, me om hem heen te sluiten. Tot het einde der wereld, trala, tot het einde der wereld.*

Ze hebben elkaar nog steeds niet gekust, maar hun ogen kunnen de mond van de ander niet meer loslaten, hun handen niet meer afblijven van de huid van de ander die ze liefkozen met een traagheid die al snel pijnlijk wordt. Dus begeven ze zich verstrengeld naar de slaapkamer waar George in het voorbijgaan de vermaledijde airconditioner afzet. Het grote bed wordt geflankeerd door twee schilderijen met spitsborstige negerinnen, strooien hutten en ananassen, om de bewoners eraan te herinneren dat ze in de tropen zijn.

Gauvain duwt George op dat bed maar hij heeft nog de moed haar niet meteen met zijn lichaam te bedekken. Hij gaat aan haar zijde zitten als bij een instrument dat hij wil gaan bespelen. Ze vindt hem mooi als hij de liefde gaat bedrijven en zijn intense blik wordt gesluierd door een leed dat haar diep treft. Ze wacht. Maar nu niet lang meer. Ze zijn binnengetreden in het domein dat alleen hun samen toebehoort en waarin het gewone leven niet meer bestaat. Hij buigt zijn gezicht naar haar toe en, zonder haar met zijn handen aan te raken, begint hij haar lippen te kussen. Hun tongen bedrijven de liefde voor hen. Dan kruipt een van zijn handen naar een borst terwijl de andere tussen haar benen onderzoekt hoe sterk George naar hem verlangt, zo voorzichtig dat het overweldigender is dan geweld. Maar erg lang kunnen ze niet standhouden met alleen hun monden verenigd en zijn vingers glijdend langs haar dijen, daar waar ze overgaan in lippen, en haar handen rond zijn lid. Als ze het geen van beiden meer kunnen houden, strekt hij zich helemaal op haar uit, spreidt haar benen met de zijne, gaat met zijn voorsteven de haven binnen en dringt er ten slotte eindeloos langzaam in door. 'Eén centimeter per seconde,' zal ze preciseren, aangespoord door de vragen van Ellen, die spottend opmerkt: 'Nog geen kwart knoop per uur! Niet gek voor een zeeman, zeg nou zelf...'

Bijna zonder golven komt het orgasme, ze kunnen het nauwelijks onderscheiden in het geheel, zo hevig is alles; en het klaarkomen duurt lang, misschien komen ze tweemaal, wie zal het zeggen? Zij in ieder geval niet, ze blijven lange tijd onbeweeglijk liggen om de toppen van het genot vast te houden.

'Ik ben blij dat ik deze keer heb kunnen wachten,' fluistert Gauvain voordat ze in elkaar in slaap vallen, terwijl een korte, hevige regenbui de zwarte lucht verfrist.

De volgende dag zijn hun ogen blauwer en hun lichamen losser. George bloeit zienderogen op, gelaafd door het voortdurende verlangen van Gauvain. Net als Alice in Wonderland is ze naar de overzijde van het leven gegaan, waar de wetten van hogerhand niet meer gelden. Voor hem begint het overnieuw: het is de ontkenning van alles waaraan hij wil geloven, maar hij wil er niet tegen vechten. Ze hebben nog negen dagen om hun wederzijdse obsessie te bevredigen en ze bekijken elkaar met een ongelovige herkenning.

George vraagt zich eens te meer af waarom ze niet overgaan op minder simplistisch verkeer. 'Arme kinderen, jullie zijn nog niet verder dan de letters NE van het werkwoord neuken!' zou Ellen zeggen als ze hen zou zien. Maar ze zullen waarschijnlijk nooit lang genoeg bij elkaar zijn. Elke keer beginnen ze de liefde van voren af aan en elke keer, tegen de tijd dat ze zouden kunnen gaan denken aan verfijning, moeten ze elkaar verlaten! Bij Gauvain komt George niet verder dan verliefde vraatzucht en is ze innig tevreden met de meest elementaire liefkozingen. Ze heeft trek in grof brood en robuuste wijn. Geraffineerde liflafjes zijn van later zorg. Is dit wat haar vader nymfomanie noemde, het woord dat zij zo mooi vond en dat hij slechts met een in afschuw vertrokken mond uitsprak? Zij had nymphae, kleine schaamlippen, ja, maar Gauvain was juist de nymfomaan! En tegelijkertijd onbedorven, want hij ontdekte de bekoring van de intimiteit met de vrees de perversiteit uit te vinden.

'Weet je, Karedig,' zegt hij op een avond aarzelend, 'misschien vind je het raar... maar ik hou van onze geur na de liefde, sinds jij me hebt geleerd bij je te blijven...'

George verbergt haar neiging om te glimlachen. Ze doet vertederd als een moeder die haar vogeltje aanmoedigt te gaan vliegen: 'Toe maar, aalscholvertje, wees maar niet bang, het is goed zo, ga maar door...'

De tweede dag al ontvluchten ze het strand dat is vergeven van cola- en hotdogverkopers, en dat wordt overspoeld door muziek die vanaf de middag uit de bar schettert, en gaan ze op zoek naar een stukje maagdelijk eiland. Ze vinden het bij Negrin, op de punt van het eiland. Daar is het zand gratis, er wordt hun geen parasol of een strandstoel opgedrongen, en, onder de wortelbomen die hun schaduw op het strand werpen, kunnen ze in loofhutten smullen van de overheerlijke plaatselijke lambissoep die men niet belieft te serveren in serieuze restaurants.

's Avonds koken ze zelf en gaan daarna ergens in de openlucht dansen, terwijl ze denken aan die eerste dans in Ty Chupenn Gwen waar alles is begonnen. Als ze weer thuiskomen, besluiten ze zoals iedere avond niet te vrijen omdat ze dat al om vijf uur hebben gedaan en ze het midden in de nacht weer zullen doen. En natuurlijk doen ze het uiteindelijk toch. En dat zijn de heerlijkste keren. De monotonie van hun reacties vinden ze zalig.

's Morgens blijft George in bed terwijl Gauvain cornflakes en bacon and eggs klaarmaakt. Daarna geven ze zich op voor een of andere excursie: het Typisch Jamaicaanse Dorp of de Wild River Tour, tussen kwebbelende Amerikanen die tegen Gauvain 'your wife' zeggen als ze het over George hebben, wat hij heerlijk vindt, Canadezen die zich vanaf de ochtend lam zuipen aan het bier en Duitsers met korte broek en fototoestel die geen uitleg van de gids missen.

Ze ervaren dit wonderlijke fenomeen: ze hebben zo weinig tijd samen doorgebracht, maar ze voelen zich zo vertrouwd als een oud echtpaar. Met geen enkele man heeft George het gehad over haar menstruatie bijvoorbeeld, over haar toenemende hitsigheid de dagen ervoor, en zelfs tijdens. Haar opvoeding heeft haar aangeleerd dit soort kwesties dood te zwijgen en alle tekenen ervan voor haar mannelijke partners te verdoezelen. Of het nu komt doordat hij zo onvoorwaardelijk van George houdt of doordat hij dicht bij de Natuur leeft, Gauvain lijkt niet de minste afkeer te hebben van wat zich in de buik van de vrouw afspeelt. Hij wil alles van haar weten en zij spreekt met hem zoals ze nooit had durven dromen. Je kunt veel mannen kennen en beminnen zonder ooit aan te meren aan de oevers van deze kalme ongedwongenheid. Aan Gauvain zou ze haar bloed kunnen, zelfs willen laten zien, zo zeker is ze van zijn tedere gevoelens voor elke holte die ze heeft, voor elk haartje, elke gezichtsuitdrukking, elk gebaar, elke tekortkoming. Hij is een van de zeldzame mannen voor 'erna', alsof hij altijd voldoende verlangen overhoudt om te genieten van liefkozingen, kussen, fluisteren. Het is soms ondraaglijk.

'Lozerech, vertel eens, ik vraag me vaak af: denk je dat we om ''dat daar'' (George drukt met haar wijsvinger op de half opgerolde ansjovisfilet die rust op Gauvains dijbeen) al die plannetjes uitbroeden, al die toeren uithalen om elkaar te ontmoeten? Zou het alleen zijn om te gehoorzamen aan onze laagste driften, aan de verlangens van onze lichamen, kortom aan onze buik?'

'Volgens mij komt 't van verder weg. Zit 't dieper.'

'En wat als we niets diepers hebben dan de buik? Het lichaam weet in ieder geval wat het wil, het is niet vatbaar voor redeneringen, het lichaam is onverbiddelijk. Bevalt die gedachte je niet? Je hebt liever dat het de ziel is, hè?'

Gauvain haalt zijn vingers door zijn ruige ragebol als om zijn gedachten te ordenen. Hij zit altijd aan zijn haar als hij nadenkt.

''k Wil niet geleid worden door iets dat ik niet begrijp, da's alles.'

'Denk jij soms dat je het Geloof begrijpt? Of de Liefde, wanneer die je tot dwaasheden brengt?'

'Juist niet, ik begrijp niks. Als ik bij jou ben, is 't altijd goed, dan vraag ik me niks meer af. Maar als ik alleen ben, laat 't me niet met rust. Dan heb ik 't gevoel dat ik niet meer de kapitein ben aan boord.'

'Bij mij is het juist andersom: ik heb het gevoel tot een van de wijsheden des levens te komen. Ons samenzijn is even machtig als een mystieke eenwording. Het is alsof we aan een natuurwet gehoorzamen. En je hoort ze maar zo zelden, de natuurwetten.'

Gauvain luistert, zowel overdonderd als argwanend. George is hem aan het bedotten met haar mooie praatjes. Wat blijft daarvan over als hij 's nachts in zijn kooi ligt te woelen zonder in slaap te komen, en zich afvraagt of hij een slappeling is of een smeerlap, waarschijnlijk allebei, dat hij er niet toe kan komen een streep onder die verhouding te zetten. De verhouding die, hij moet het zichzelf helaas bekennen, het zout van zijn leven is.

'George, schrijf je ons verhaal een keer op?' vraagt Gauvain tot haar grote verbazing enkele dagen later, als ze zitten te keuvelen bij het kunstmatig blauwe zwembad van de club met oranje-bruine Pepsi parasols langs de rand. Maar je moet genieten van die lelijkheid en die kelk tot op de bodem leegdrinken. Het is een verfijnde kunst om te doen wat je vreselijk vindt, zo af en toe.

Gauvain lijkt die avond op een mooie Amerikaan, met zijn polo van roze katoen, een kleur die hij nooit voor zichzelf had durven uitzoeken, en de seersucker broek die zij hem kort ervoor had opgedrongen; en de verzadigde en losse houding die voortkomt uit frequente liefde; en de manier waarop hij Georch' zegt, enigszins slissend en zo Bretons, die haar helemaal week maakt.

'Je schrijft het een keer op, hè?'

'Maar wat zou ik moeten schrijven? Ze gaan naar bed, ze staan op, ze gaan weer naar bed, hij neukt haar telkens weer, hij maakt haar dolgelukkig, zij laat hem stralen, hij kijkt naar haar met de ogen van een schelvis op het droge...'

'Niet zo raar voor een zeeman!'

'Je hebt alles behalve visseogen.'

'Een tonijn heeft mooie ogen, weet je, zwart met een zilveren randje. In 't water, bedoel ik. Jij hebt ze nooit levend gezien, jij kan dat niet weten.'

'Misschien, maar ik weet wel dat jij volslagen tuchteloze ogen hebt, niet in het water maar in de lucht! In ieder geval als je bij mij bent. Ik heb voortdurend de neiging uit te roepen: "Ja... wanneer je wilt, waar je wilt, hoe je ook wilt..." Ik ben bang dat het te zien is. Het moet trouwens wel te zien zijn.'

'Nou, dat moet je ook opschrijven. Soms begrijp ik niet hoe je van mij kan blijven houden. Je moet uitleggen hoe dat mogelijk is, zo'n verhaal. Jij kan dat wel.'

'Juist niet! Niets is onmogelijker te vertellen dan een liefdesgeschiedenis. En bovendien ben ik geen romanschrijfster.'

'Je bent geschiedenisschrijfster, dat is hetzelfde. 'k Weet niet waarom, maar ik zou het graag opgeschreven zien in een boek, ons avontuur, om zeker te weten dat het waar is, dat ik het echt heb meegemaakt! Misschien omdat ik er nooit met iemand over heb kunnen praten.'

'Praten lucht inderdaad wel op. Ik heb het erover met Frédérique. En met François, die je wel kent. En Sydney weet ook van je bestaan af.'

'Als mijn vrouw het zou horen, was het huis te klein,' zegt Gauvain plotseling somber. 'Bij jou ben ik helemaal van slag. Altijd als ik m'n sandalen aandoe die jij niet kan uitstaan, is het net of ik m'n huis binnenstap! Als iemand me had gezegd dat ik zo zou kunnen leven, had ik hem nooit geloofd. Nooit van z'n leven!'

'Laten we nog wat bestellen, goed?' George is bang dat Gauvain tranen in zijn ogen krijgt. Huilen is voor hem ondenkbaar, hij verzet zich er met hand en tand tegen.

'Weet je, op dit moment denk ik dat ik liever het loodje leg dan dat ik je nooit meer zou zien. Maar zodra we niet meer samen zijn, zeg ik tegen mezelf dat ik knettergek ben... dat het zo niet door kan gaan.'

Stilte. George glijdt met haar hand over de te brede polsen van Gauvain die haar altijd vertederen. Het gevoel van zijn haartjes geeft haar een verrukkelijke tinteling.

'Ik verlang zo verschrikkelijk naar je, houdt dat dan nooit op?' zegt hij bijna met zachte stem.

Ze zwijgen een ogenblik, genietend van de schemering, hun vrijheid, de luxe die ze zich permitteren. De woorden zijn nog geen kwelling, want ze hebben de nacht voor zich en nog verscheidene dagen en nachten: een hele oceaan van tederheid om leeg te drinken.

'Weet je wat de beste manier zou zijn om er een einde aan te maken?' vraagt George.

Gauvain trekt vragend zijn linker wenkbrauw op.

'Als we samen zouden leven, helemaal. Ik zou je al snel op je zenuwen werken en jij zou driftig worden...'

'Dat zeg je altijd,' antwoordt Gauvain gepikeerd. 'Ik weet absoluut zeker dat ik m'n hele leven van je zou kunnen houden. Anders had ik je al lang weggedaan,' bekent hij met een strak gezicht. 'Ik ben nooit gelukkig, weet je. 'k Ben niet eerlijk tegenover Marie-Josée. Ik kan er niet aan wennen. En ik kan er niks tegen doen. Als 't effe kon, zou ik scheiden.'

George glimlacht: hij zegt altijd 'effe' in plaats van 'even'. Maar is dit wel het juiste moment om hem daarop te wijzen? Ze kan hem niet continu op de vingers tikken, ze heeft al op zoveel dingen commentaar. Ze vindt het vreselijk dat hij niet boek maar *leesboek* zegt, niet dokter maar *witjas*, niet gehucht maar *gat*, niet hond maar *keffer*, dat hij soms de zee *het ruime sop* of *de grote plas* noemt. Maar waarom? vraagt hij. Hij begrijpt niet wat er mis is met *witjas*! Dat is het nou net, het drama van de sociale klassen, van de vooroordelen, van de cultuur: het valt niet uit te leggen.

'Trouwens, jij zou van mij de kriebels krijgen,' gaat Gauvain met heel zachte stem verder. ''k Weet dat ik niet van jouw niveau ben maar dat maakt me niks uit, gek genoeg. En 'k vind het leuk als je me verbetert. 't Is per slot van rekening je vak. Je hebt me bijvoorbeeld leren reizen, dingen leren zien die ik uit mezelf nooit had opgemerkt. Bij ons nemen we daar de tijd niet voor. We merken niet eens dat we leven!'

'Dat is waar, Lozerech. En nu we het toch over leven hebben... Mag ik je erop wijzen dat we al minstens vijf uur lang niet hebben gevreeën? Je bent toch niet ziek?'

Gauvain barst in een luide schaterlach uit, de te harde lach van een man die met mannen leeft. Het enige tegengif tegen de zekerheid dat ze nooit zullen samenleven, is de lach. En een bepaalde dosis platvloersheid ook. Gauvain houdt ervan dat George soms platvloers is. Daardoor wordt ze menselijker, komt ze dichter bij hem. Ze is soms zo'n vreemde voor hem.

'Kom je dan effe... de tijd nemen om te leven?' Hij kijkt haar aan, lachrimpeltjes rond de ogen, al zeker van haar antwoord.

'Je bent een viespeuk,' zegt George, 'jai hebt het ook altijd op me voorzien, jai, jai...'

'Steek je de draak met mai? En hoe spreek jai het dan uit? Ik dacht dat ik m'n accent al lang kwijt was.'

'Hoe zou je dat willen kwijtraken, je hoort het zelf niet! En je bent voortdurend bij mensen die net zo spreken. Maar ik hou ervan, van je accent. Wie weet welke rol hij speelt in die volstrekt schandelijke aantrekkingskracht die je op me uitoefent?'

Met de armen om elkaar heen gaan ze terug naar flatje 1718. Het strand is nu verlaten en de pelikanen zijn krijsend aan het vechten. 's Avonds denken de vogels nog dat ze op eigen gebied zijn en vergeten ze het Hilton, de Holiday Inn en andere toeristennestjes. Bij de gedachte aan de winter die ze over een paar dagen weer moet trotseren, krijgt George plotseling zin nog één keer over het strand te rennen. Op dat soort momenten gaat Gauvain op de dijk zitten. Het zou nooit in zijn hoofd opkomen gymnastische toeren uit te halen en dat anderen het wel doen vindt hij kolderiek. Ze holt over het vochtige zand en springt zo nu en dan door de uitlopers van het ruisende water dat guirlandes op het strand tekent, dat opkomt en zich weer terugtrekt, alsof het wordt aangezogen door de open zee en dan weer terugkeert, op het mysterieuze ritme van de golven, zoiets als het ritme van de liefde. *'Dat is echt het enige waar je aan denkt,'* zegt de dueña. *'Helemaal niet, jij begrijpt niet dat er bevoorrechte ogenblikken bestaan waarin alles liefde is.'*

Terwijl ze rent, lichtvoetig, vloeit George samen met het landschap, neemt ze het met haar hele wezen op, genietend van de moeiteloze bewegingen van haar lichaam, van het ritmische doffe geluid van haar hakken en van het gevoel herboren te worden dat ze elke keer ervaart, alsof een verre en vage herinnering opduikt aan het eerste schepsel dat uit de zee kroop om dat wonderlijke droge element dat lucht wordt genoemd in te ademen. En het liefdesverlangen is slechts een van de bestanddelen van die verrukking.

Ze zou wel al die vreugde willen opslaan voor later. Maar liefde is als de zon, daar kun je geen voorraad van aanleggen. Elke keer is uniek en wordt uitgewist als de golven die terugkeren in de schoot van de oceaan.

Gauvain wacht met bungelende benen op de rand van de pier. Een zee zonder boten verveelt hem. Vakantie verveelt hem. George is zijn tijdverdrijf, zijn enige reden om hier te zijn.

'Je bent zo nat als een zeemeermin,' zegt hij als hij haar in zijn armen opvangt. 'Zal ik het zand van je voeten vegen, 'k heb hier de handdoek.'

'Alsjeblieft niet, ik vind het heerlijk om zand te blijven voelen. Dan weet ik zeker dat ik niet in Parijs ben, snap je...'

Wat een ideeën hebben ze toch, die Parisiennes! Gauvain drukt haar tegen zich aan. Alleen in de liefde is niets van haar hem vreemd.

Ze zijn dol op het uur dat voorafgaat aan het slapen. Gauvain gaat het eerst naar bed terwijl George nog wat rondrommelt, zich klaarmaakt, een likje crème op een verbrand plekje doet, controleert of er geen zand is achtergebleven in de leidingen.

'Wanneer hou je nou 's op met dat gedreutel,' roept hij al snel.

Ze duikt boven op hem en het is net of ze een schakelaar omdraaien. Het klikt en alles wordt verlicht en alles vonkt. Ze had
over dit soort gevallen gelezen in romans, maar ze had nooit geloofd dat de auteurs gelijk konden hebben. Nu spraken de feiten
voor zich: ze hield er alleen maar mee op om Gauvain niet van het
leven te beroven en ook om haar slijmvliezen te ontzien.

Ze bleef zich erover verbazen dat Gauvain zo opgewonden
raakte van haar lichaam, verzot was op dat schijfje watermeloen
dat hij kon dromen, bijna in zwijm viel als hij haar schaamheuvel
of haar schaamlippen aanraakte en helemaal buiten zinnen raakte als hij bij het valleitje kwam. Hoe kon die man zo vervoerd raken van haar vagina en zich niet voor Picasso interesseren? Vijfduizend kilometer reizen om met haar naar bed te gaan en geen
moeite doen om de Notre-Dame te bezichtigen? *'Hij houdt meer*
van mijn vagina, dat is alles,' zegt ze tegen de dueña om haar te treiteren.
'Ah! Bemind te worden tot op de bodem!' De dueña spuugt.

'Lozerech, lieveling, beschrijf eens wat je daarbinnen aantreft,
wil je? Vertel me hoe de andere zijn en wat het verschil is met de
mijne.'

Hij beweert dat zij, George, een wondertuin tussen haar benen
heeft, een Lunapark, een Disneyland met achtbanen, waterval en
vrouw met de baard. Hij zegt dat hij met grote snelheid nieuwe
bochten neemt, ineens op een andere plek terechtkomt, dat ze
beweegbare scheidingswanden heeft, zwellichamen, kortom dat
ze hem gek maakt, kortom dat wat een vrouw niet vaak genoeg
kan horen. Ze gaat zelfs de constante erecties van Gauvain toe-
schrijven aan haar eigen charmes, terwijl ze alleen maar het teken
zijn van zijn uitzonderlijke seksuele kwaliteiten. Volgens hem is
de hele bedrijvigheid aan George te danken, terwijl zij niet meer
dan een vage notie heeft van wat zich in haar kelders afspeelt. Ze
heeft trouwens nooit de moeite genomen de raadgevingen van
Ellen Price op te volgen 'om ons meer betrokken te voelen bij onze vagina'. Zij schreef gymnastiek voor: 'Begint u met twintig of
dertig contracties van de pubococcygeus-spier elke ochtend, of

doet u ze zittend bij de kapper bijvoorbeeld, of staand als u op de bus wacht. U zult tot twee- of driehonderd contracties per dag komen terwijl niemand het aan u kan zien. Om te controleren of u een olympische vagina hebt gekregen (aan de verleiding dit uit te proberen had George geen weerstand geboden) tracht u telkens als u uw blaas leegt een paar maal de straal te onderbreken.'

Gauvain gniffelt. Hij staat versteld dat iemand serieus over zulke onderwerpen kan schrijven en het bevestigt zijn overtuiging dat alle intellectuelen niet goed bij hun hoofd zijn.

'Jij hebt dat soort dingen in elk geval niet nodig,' zegt hij met aanbiddelijke overtuiging. Het is wel handig dat hij geen enkel benul heeft van de 'vrouwelijke listen'.

Maar als zijn moraliteitsbesef weer komt bovendrijven, maakt hij zich ongerust:

'Is het niet abnormaal dat ik steeds meer geniet van jouw genot? Het doet me bijna net zoveel als bij mezelf.'

'Waarom zou het abnormaal zijn als je graag genot schenkt?'

Hun tanden stoten tegen elkaar bij hun kus.

'Wat een bruut ben jij,' zegt Gauvain. 'Je breekt nog een tweede als je zo doorgaat.'

'Goed, prima, dan houden we op. Ik heb toch kramp in mijn pubococcygeus omdat ik niet genoeg oefen.'

Ze neemt een boek en hij valt in een van zijn eigenzinnige hazeslaapjes, de bijna driftige manier van slapen van een kind. Van een zeeman ook, die door het minste of geringste weer wakker wordt. Als een plotseling geluid hem wekt, staat Lozerech in een mum van tijd op de brug, en hij beperkt zich er niet toe een oog te openen, hij zit recht overeind, klaarwakker: 'Wat is er aan de hand?' George sust hem met hetzelfde tedere gebaar waarmee ze Loïc suste als hij wakker werd van een nachtmerrie: 'Ga maar lekker slapen, schat, alles is in orde, er is niets aan de hand.' Hij antwoordde dan altijd: 'Er is wel wat aan de hand: jij bent er!'

's Nachts, tijdens de uren dat een mens zich laat gaan, begint hij over zichzelf te praten. Ze luistert naar zijn plotselinge spraakzaamheid, het jongetje uit haar kindertijd, de verliefde knaap uit haar puberteit, die de moedige en duistere kapitein is geworden van een wereld die niet is beschreven door een Le Roy Ladurie. Hij vertelt haar over de grote momenten van zijn leven op zee, die momenten die alleen een zeeman kan kennen; en ook over de grappige momenten. De vorige zomer was zijn bemanning per vliegtuig uit Afrika teruggekeerd voor het verlof. Het was voor het eerst dat zeelieden op deze manier naar huis gingen, de meesten hadden nog nooit in een vliegtuig gezeten.

'Je had ze moeten zien in dat supergevaarte... een paniek! Ze waren banger in die machine dan tijdens de ergste storm op hun trawler! Afijn, bij aankomst was 't hele zootje ladderzat! Maar je luistert niet meer... Ik verveel je, hè?'

'Ik luister best naar je, ladderzat zei je.'

''k Weet niet waarom ik je dat allemaal vertel. Dat doet me eraan denken, 'k heb het nooit gehad over die keer dat...'

Al pratend streelt hij zachtjes, en ook zij kuiert langs de geliefde paadjes. Ze hebben het licht uitgedaan om zich dichter bij elkaar te voelen. Ze staan samen op wacht, op de brug van een schip dat in de zwarte nacht door de golven ploegt, op weg naar het einde van de wereld.

Als je in Florida bent, kun je onmogelijk om Disneyland heen, alle Amerikanen die ze hadden ontmoet waren het daarover eens en zij die er waren geweest waren enthousiast. En voor één keer had Gauvain er nu eens erg veel zin in. Het was het enige monument in de hele Verenigde Staten waarover hij ooit had gehoord! En omdat ze hoe dan ook over Miami moesten reizen, besloten ze hun verblijf te bekorten om niet in Europa terug te keren zonder de uitgestrekte moerassen van de Everglades te hebben gezien en één of twee musea, en niet te vergeten de roemruchte 'Cloisters' van het Sint-Bernardklooster, dat in 1141 in Segovia was gebouwd en 'steen voor steen naar de Verenigde Staten gebracht door Randolph Hearst', preciseerde de reisagent vol respect alsof

die ontmanteling iets van onschatbare waarde aan het meester-
werk had toegevoegd.

Dezelfde Tour Operator raadde hun ook aan minstens zesendertig uur in de Wondere Wereld van Walt Disney door te brengen en hij regelde alles met een verdachte gretigheid. Maar pas op
het vliegveld van Miami, toen ze zich installeerden in een limou-
sine die zo groot was als een flatje in Parijs, met airconditioning,
getinte ramen, zorgvuldig geconstrueerd om er volledig afgeslo-
ten van de buitenwereld in rond te rijden, afgesneden van het
landschap, van de wind, van de geuren, van de echte kleur van de
hemel, pas toen sloeg George de schrik om het hart. Aangezien
Gauvain geen woord Engels sprak, moest zij dat hermetisch gesloten ruimteschip door een nachtmerrieachtig universum lood-
sen waar geen levende ziel op het trottoir te bekennen viel om de
weg aan te vragen, tussen die wirwar van gigantische hangbrug-
gen, reusachtige verkeerspleinen die door een krankzinnige teke-
naar waren ontworpen en achtbaans snelwegen waar duizenden
gelijksoortige limousines met een constante snelheid reden, die
natuurlijk nergens naar toe gingen en alleen maar met vijfig mijl
per uur rondreden om net te doen of ze bestonden. Want waarom
zouden ze van de ene stad naar de andere gaan als die steden allemaal hetzelfde waren, of ze nu Tampa, Clearwater, Bonita
Springs, Naples of Vanderbilt Beach heetten?

Iemand moet gek zijn, dacht George verpletterd door die sur-
realistische omgeving: ofwel de bewoners van de dorpen in Europa, domweg gegroepeerd rond de kerktoren, met hun kruide-
nierszaak annex café, hun zatlap op de stoep, de geur van warm
brood voor de bakkerij en de oude 'verfhandelaar' in zijn grijze
stofjas; ofwel de mutanten van hier die elkaar eindeloos kruisen
op dat monsterlijke wegennet dat doet denken aan circuits van
elektrische treinen, langs de kant duizenden Shopping Centres
ter grootte van de Taj Mahal met hun marmeren fonteinen, hun
glazen overkappingen en hun bioscopen die allemaal dezelfde
films vertonen, en daarna de woonwijken die eruitzien of ze de

vorige dag zijn opgeleverd, zo keurig en kaal zijn ze, geplaatst op gazons die kunstmatiger zijn dan vloerbedekking, en dan de binnensteden waar mausolea van dertig verdiepingen onderdak bieden aan duizenden gepensioneerde echtparen die in luxe op de dood wachten, omringd door losstaande villa's met als voornaamste ornament de geteerde *driveway* die naar de driedubbele garage aan de voorgevel leidt, zodat men in de auto kan stappen zonder zelfs maar door de tuin te gaan; de tuin is trouwens de werktekening nooit ontstegen, zonder één bloem of tuinstoel of omgevallen kinderfiets, alleen een groene vlakte die door een onzichtbare pijpleiding tweemaal per dag wordt besproeid, ook als het regent, want het programma is afgesteld voor het hele seizoen. Heel af en toe een ontroerend stukje braakliggend terrein, ingeklemd tussen twee wolkenkrabbers, dat je er met zijn braamstruiken en zijn wilde haver aan herinnert dat de natuur heeft bestaan en dat het gras niet in gemaaide staat uit de grond komt.

Maar Florida vergeet niet dat het in de eerste plaats een pretpark is. Om de vijf of zes kilometer wordt de automobilist door een dreigend bord gelast zijn snelheid te verlagen om toch vooral niet de meest intelligente zeehonden ter wereld te missen, de meest woeste tijgers, de meest Indiaanse Indianen. Inderdaad duikt dan al snel een Latijnsamerikaanse poort op die toegang geeft tot een Aztekentempel of een neogotische vesting, dat hangt ervan af, waar kaartjes voor de Natuur worden verkocht: Jungle Gardens, Wild Animals Park of Alligator Farm. En woorden die elkaar bijten berusten erin op het fluorescerende aanplakbiljet naast elkaar te staan, hoewel alleen het idee al in de buurt te komen van een junglepark, een boerderijkrokodil of een tuintijger ieder weldenkend wezen op de vlucht zou moeten jagen. Te beginnen met de tijger.

En het is pas honderdvijftig jaar geleden dat Spanje dit immense moerassige schiereiland heeft afgestaan aan de Verenigde Staten! George tracht haar ontreddering met Gauvain te delen, maar Lozerech junior is gefascineerd door het vertoon van zoveel weelde.

Ze stoppen om het eenvoudige optrekje van Mr. Harkness Flagler te bezoeken, de medeoprichter van Standard Oil, net zoals je het hebt over de auteur van de Divina Commedia. 'Het Flagler Museum is sinds 1906 in dezelfde staat gehouden,' merkt de gids eerbiedig op alsof hij het heeft over ettelijke eeuwen geleden. De salon is uit een hertogelijk paleis in Mantova gehakt, het plafond bij de Giudecca van Venetië weggegrist, de muren zijn prerafaëlitisch en de badkamers komen uit Pompeï. Het mozaïek is echt, de schilderijen zijn originelen, maar hun ziel is onderweg teloorgegaan. Alles is onecht of absurd geworden.

'Kijk eens naar de gids, je zou zeggen...,' maar George stokt. Hoe kun je iemand die nooit het stuk heeft gezien, de kop en de stem van Dufilho beschrijven? Gauvain is ook nooit in Venetië geweest, of Mantova, of Pompeï, hoe zou hij gechoqueerd kunnen zijn? Voor één keer komen de antieke voorwerpen, waarvan hij altijd had gedacht dat ze per definitie stoffig en vervallen waren, hem gloednieuw voor met hun verguldsel en hun beeldhouwwerk waaraan geen voluut, geen teen ontbreekt. Hij stelt zijn oordeel bij: antiek, dat kan fantastisch zijn!

Hoe heeft ze het trouwens in haar hoofd gehaald dit alles met Lozerech te bezoeken! Ze vergeet dat hij alleen maar goed is om de liefde te bedrijven. Ze had in de buurt van een bed moeten blijven.

Ze vervolgen hun weg. George heeft maar twee of drie musea kunnen opsporen die een bezoek waard zijn, maar ze zijn van elkaar gescheiden door tientallen mijlen saaie wegen. Samen met Sydney zou het leuk zijn geweest. Met zijn destructieve geest zou hij Florida van de kaart der gecivilseerde Staten hebben geveegd. Gauvain merkt niets bijzonders op, voor hem is een landschap een landschap en in algemene ideeën is hij niet sterk. Dus probeert hij de stilte te verbreken en George aan het lachen te maken:

'Hoor 's, ik weet een goeie: weet je waarom het bier dat je drinkt zo snel naar beneden zakt en er weer uitkomt?'

Nee, dat weet George niet.

'Nou, omdat het onderweg niet van kleur hoeft te veranderen,' zegt hij opgetogen en wacht met ongeduld op haar reactie.

Ze gunt hem geen flauw glimlachje, om hem voor eens en altijd goed duidelijk te maken dat dit soort geintjes die bij de zuipschuiten van de Basse Bretagne getapt zijn, in de verste verte absoluut niet interessant zijn. Maar ze weet dat hij het alleen aan haar gebrek aan humor zal wijten. Zou ze hem op een goede dag kunnen uitleggen dat humor niet is... dat humor is... Dat zou geen enkele zin hebben. Mensen die geen gevoel voor humor hebben zijn het gevoeligst op dat gebied.

'Hé, daar rechts zijn ze een nieuw huis aan het bouwen,' wijst hij even verder, om van onderwerp te veranderen.

'Het gebeurt niet vaak dat er oude huizen worden gebouwd,' laat George zich ontvallen.

'Precies,' zegt Gauvain koeltjes en hult zich daarna in zwijgen.

Hun eetlust komt hen op het juiste moment te hulp. Aangelokt door de herhaalde aankondiging van *Real Fresh Seafood* (wat impliceert dat er ook *false fresh seafood* kan bestaan) stoppen ze bij een Fisherman's Lodge, als het niet een Pirate's Grotto of een Sailor's Cove is. Hoe dan ook, de laatste *real fresh fisherman* is lang geleden uit dit oord verdreven en de grotten hebben gebouwen van twintig verdiepingen op hun rug. Ze zien overigens tijdens de reis niet één vissershaven, alleen maar 'parkeerplaatsen voor jachten' zoals Gauvain zegt; en ze kunnen geen viswinkel ontdekken die herkenbare vissen uitstalt, met kop en staart, maar alleen kleurloos gefileerd vlees in plastic zakjes, keurig in het gelid in de koelbakken van de supermarkten.

Ze nemen een lunch van smakeloze, vette oesters zonder schaal, waarvan het zeewater zorgvuldig is afgewassen, en strandgapers die zo vlezig zijn dat je je schuldig voelt erop te kauwen. Dan gaan ze zwemmen op een ondefinieerbare plaats van het uitgestrekte strand dat honderden kilometers lang de kust vormt van de oostkant van Florida, waar het overal onveranderlijk bezaaid is met oude mannetjes en vrouwtjes, zittend op vouwstoelen en gekleed in snoepkleurige stoffen. Dan haasten ze zich weer de weg op want George wil voor de avond de 'Cloisters' zien, die uit Spanje zijn geplukt en hier weer zijn opgebouwd op een lap grond die bewaard is gebleven tussen moderne flats. Het St. Bernard's *real* Monastery lijkt evenveel op een cisterciënzer klooster als een robot op een mens. Overigens, als je hier het woord 'real' tegenkomt, moet je op je hoede zijn! De stenen zijn beslist Spaans, maar de tegels zijn Mexicaans en op de vloer van de kapel ligt linoleum met tegeltjesmotief.

'Zijn hier vroeger monniken geweest?' vraagt Gauvain als ze door het klooster slenteren dat er op onverklaarbare wijze in is geslaagd een vleugje gewijdheid te behouden.

'Nee, want dit klooster is van A tot Z nep. Het is een gril van een miljardair, Randolph Hearst. Heb je *Citizen Kane* gezien?'

'Nee, dat zegt me niks.'

'Dat is een film van Orson Welles over het leven van deze Hearst, een krantenmagnaat die... Dat vertel ik je vanavond wel.'

George zucht al bij de gedachte aan wat ze allemaal moet uitleggen. Als ze het goed wil doen, moet ze beginnen bij de *Mayflower*, teruggaan tot de Conquistadores, de volkerenmoord op de Indianen aanroeren, en elk verhaal roept weer een ander op... Kortom een hoorcollege of beter nog tien schooljaren, tien jaar lessen geschiedenis, literatuur, geografie. Wat is het soms een woestenij, het leven van een Lozerech! Wat ziet hij van een land als hij alleen maar het zichtbare in verband kan brengen met andere zichtbare tekens?

Tegen de avond heeft ze een rotbui. Ze neemt het zichzelf kwalijk dat ze het hem kwalijk neemt. Bovendien hebben ze om geld uit te sparen hun toevlucht moeten nemen tot een Howard Johnson, het absolute nulpunt in fast food.

Voor de nacht hebben ze een motel besproken 'met uitzicht op zee'. Het heet Sea-View om de klant nog verder om de tuin te leiden, maar de afbeelding op de folder is zo genomen dat het niet opvalt dat het van opzij is gefotografeerd en dat je alleen door de twee ramen aan de smalle zijde de oceaan kunt zien. Hun raam kijkt uit op de parkeerplaats. Maar het kan niet open want het is vastgezet! En hun kamer grenst aan de ijsmachine die dag en nacht ijsblokjes maakt en vermaalt. De airconditioning, die de heerlijke zeelucht buitensluit, slaagt er wel min of meer in het geronk van de ijsvermaler te overheersen, vooral als hij wordt afgelost door het gegrom van de bulldozer die het strand, iedere avond weer, aanharkt en egaliseert.

Hun lits-jumeaux worden door een onwrikbaar nachtkastje gescheiden. Men slaapt niet samen in dit land en 's middags de liefde bedrijven wordt ook niet gedaan: er is geen bidet! Je moet ofwel voor en na een douche nemen... niet handig! Ofwel de wastafel gebruiken die zich in een nis zonder gordijn bevindt en van alle kanten zichtbaar is... niet fraai! Weten de Amerikaanse vrouwen wel dat niets zo lelijk is als een vrouw die staand haar achterste wast, met gebogen knieën en gespreide benen? En de wc staat naast het bad, zoals in alle badkamers van de Nieuwe Wereld, opdat de bader kan meegenieten van elk muf luchtje dat uit de pot opstijgt. George begrijpt niets van de sanitaire topografie in dit land.

'Zelfs in Bretagne is het beter dan dit,' merkt Gauvain op. 'De wc's staan achter in de tuin! De Amerikanen ''doen het'' zeker meteen in zo'n plastic zakje, zoals ze voor hun gefileerde vis gebruiken of voor 't glas bij de wastafel, kijk!'

Aangezien scatologie een van de beste manieren is om weer kind te worden, begint George ook te lachen en wil ze deze avond het gebrek aan ontwikkeling van Gauvain vergeten. Ze staat hem zelfs toe met haar te vrijen.

En om vergiffenis te krijgen voor haar kwade gedachten slikt ze zelfs als een soort boetedoening enkele slokjes van hem door.

Maar nee, dat is beslist niet om over naar huis te schrijven. Als je echt verliefd bent, hoor je sperma lekker te vinden, denkt ze ontstemd en ze holt nog net niet weg om haar mond te gaan spoelen. *'Vrouwen houden nooit van de smaak van sperma,' stelt de dueña haar gerust. 'Ze houden van de smaak van het mannelijk genot. Een subtiel verschil!'*

Bovendien is opgedroogd sperma onaangenaam. George laat het toe op haar dijen, niet als het op haar kin plakt. En wellicht hebben vrouwen er iets op tegen die miljoenen kindertjes te verslinden, ook al zijn het slechts halve porties, die als kikkervisjes in hun maag blijven spartelen. George was niet in de stemming om mensen te eten. Ze was zelfs in geen enkele stemming, die nacht.

Een korte nacht, want de volgende ochtend zijn ze al om zes uur aan dek, klaar voor Excursie nr. 4, twee dagen naar Disneyworld, in gezelschap van een heel bataljon ouders die ontsnapt zijn aan de toren van Babel als je afgaat op het aantal naties dat is vertegenwoordigd, en met een overdaad aan kinderen van wie het grootste deel al is verkleed als Mickey of als Donald. Boven op de wagonnetjes van een namaak echt stoomtreintje krijgt Groep nr. 4 ('Houdt u de speld op uw kleren, folks!' gelast de gids) het rozewitte neogotische middeleeuwse kasteel in zicht dat met zijn torentjes met machicoulis uitsteekt boven Main Street, waarlangs huizen staan waar alles namaak is behalve de winkeltjes die voor echte dollars echte rotzooi verkopen.

Tour nr. 4 geeft recht op vrij entree bij alle attracties van de Wondere Wereld: interstellaire reis in een authentieke raket, met versnellingseffect en het optische bedrog dat de aardbol zich verwijdert: drie minuut dertig. Landing op de planeet Mars: twee minuten. Twintigduizend mijlen onder zee: zes minuut vijftien, tussen zeemonsters die zo onecht zijn dat zelfs iemand die bijziend is dat op tien meter afstand zou kunnen zien. En dan de culturele en patriottische hoofdschotel, de Animatronic van de Presidenten der Verenigde Staten, korte impressies op een reuzenscherm en levensgrote automaten. Waaronder een wassen Lincoln die een lang, moraliserend betoog houdt, maar er wordt niet bij verteld dat hij uiteindelijk is vermoord om het jonge publiek niet te traumatiseren. Ten slotte herinneren de vijftig Amerikaanse Presi-

denten, met op de achtergrond de nationale vlag, eraan dat je
braaf moet zijn in dit mooie land dat de vrijheid heeft uitgevonden.

George heeft vanaf de ochtend lopen schelden. Niets vindt genade in haar ogen en de fascinatie van Gauvain al helemaal niet.
Hij loopt met net zulke grote ogen en open mond rond als de jongetjes uit alle landen van de wereld, verenigd in hetzelfde vuur,
die vergeten zich vol te proppen met popcorn en hun giftig gekleurde ijsjes over hun jasjes laten lekken. Maar als je eenmaal in
het raderwerk zit, kun je er onmogelijk meer uit. De bezoekers,
die in pakken van honderd worden rondgeleid, getimed, ontroerd volgens een programma waaraan niet kan worden getornd,
worden vriendelijk doch dringend naar de gangen met eenrichtingsverkeer geloodst waaruit je met geen mogelijkheid kunt ontsnappen, aangespoord door de alomtegenwoordige stem van een
Big Brother wiens raadgevingen orders zijn, op weg naar rustplaatsen die zijn afgestemd op de gemiddelde loper, rest-rooms op
de gemiddelde blaas en Candy-Stores die zo zijn opgesteld dat het
meest kippige kind ze nog kan vinden en waar de ouder zich geconfronteerd ziet met een jengelende koter die met een plakkerige wijsvinger wijst naar andere koters die al zijn volgepropt, onder de chocoladevlekken zitten en kleverig zijn van het namaakfruitsap, en die verlangt dat ook hij toegang krijgt tot hetzelfde
zoete paradijs.

Geen sprake van dat je kunt ontsnappen aan het Spookhuis, of
aan het Hol van de Caribische Piraten, griezelig namaak-echt: geplunderde steden vol dronken automaten die je met hun klapbus
bedreigen en je zorgvuldig gekuiste obscene liederen toezingen,
bouwvallige grotten vol schatten, lijkbleke drenkelingen die aan
de rotsen hangen, skeletten waar nog enkele flarden van een uniform om hangen, plastic alligators die hun automatische kaken
laten klakken als de wagonnetjes met toeristen voorbijkomen...
Een verpletterende technische perfectie ten dienste van primitieve emoties. Niets dan het moment heeft betekenis; je voelt je van

de ene scène naar de andere geloodst en door de angstvallige precisie gepaard aan de opeenstapeling van details en het gebrek aan een rustig moment, is het niet mogelijk om zelfs maar de kleinste gedachte te vormen.

Het meest irritante is dat George kennelijk de enige is die dit alles deprimerend vindt! De Amerikaanse ouders lijken opgetogen en als ze vertrekken zijn ze ervan overtuigd dat ze voortaan alles weten over het leven in Polynesië, de jungle, de interstellaire raketten en dat ze de authentieke nakomelingen van de Caribiërs in de ogen hebben gekeken. En er is niemand die hen eraan herinnert dat de laatste Caribiërs, in het nauw gedreven op hun laatste eiland, ervoor hebben gekozen zich vanaf een klif in de zee te storten om niet onder de invloed te komen van onze fraaie westerse beschaving.

'Kijk toch eens naar ze... Wat een zuiver geweten... Zo zelfingenomen omdat ze Amerikanen zijn, de besten, de meest rechtvaardigen. Ze zijn zo trots op Disneyworld alsof ze de kathedraal van Chartres hadden gebouwd!'

'Nou en? Heb je er last van dat ze 't naar hun zin hebben? In jouw ogen zijn mensen hufters als ze zich voor iets anders interesseren dan jij,' merkt Gauvain op alsof hij eindelijk de kloof ontdekt die hen scheidt. 'Ik heb nog nooit zoiets gezien en ik vind 't fantastisch. 'k Heb een plezier als een jochie dat niks anders heeft gezien dan de dierentuin van Guidel en het circus Martinez dat elke zomer de stranden van Finistère afging!'

Inderdaad, zegt George nog net niet, jij hebt ook niets gezien. Erger nog, je hebt nooit naar iets gekeken. Ze neemt hem heel Disneyland kwalijk, al die gelukzalige gezichten, zijn kinderogen, en zelfs de volgende dag want de excursie die ze hebben uitgezocht dompelt hen zesendertig uur lang onder in die ellende! Vooralsnog wacht hun een van de twaalfhonderd kamers in het Contemporary World Resort. Gauvain zal het prachtig vinden, want er loopt dwars door het hotel een monorail, een soort hangende luchtmetro die elke acht minuten de Hal en de Grote Zaal aandoet en zijn lading geïnfantiliseerde gezinnen meezeult die zich met dezelfde toewijding gaan amuseren als men zich aan het werk zet.

'Neem me niet kwalijk, maar het gaat me boven mijn krachten om morgen terug te gaan naar de Wondere Wereld van Mr. Disney. Ik moet kotsen als ik eraan denk nog een Mickey te zien. Zonder mij heb je veel meer plezier als je naar het World Circus en het Marineland gaat. Ik wil wedden dat ze de potvissen Mickey-oren hebben opgezet!'

Voor het eerst merkt Gauvain dat George onuitstaanbaar kan zijn. Van zijn stuk gebracht probeert hij haar tot rede te brengen, maar dat is een register waaraan hij zich maar beter niet kan wagen.

'Je kijkt wel erg snel neer op mensen die anders zijn dan jij. Je vergeet,' voegt hij er op schoolmeesterachtige toon aan toe, 'dat over smaak niet valt te twisten.'

'Je meent het!'

Gauvain knijpt zijn lippen op elkaar bij die sneer. Hij moet net zo'n geborneerd proletengezicht hebben wanneer zijn reder hem vernedert en hij hem niet van repliek durft te dienen. Morgenochtend, dat is afgesproken, gaat hij alleen op stap. Hij heeft zijn kaartje toch al betaald!

'Het zou zonde zijn om het geld over de balk te gooien,' zegt George.

Hij vraagt zich af of dat een stoot onder de gordel is. Wat geld betreft houden ze er een andere mening op na en hij weet nooit wanneer ze een grapje maakt, dat is een van zijn problemen.

Die avond voelen ze zich stoffig en zwaar van vermoeidheid. Disneyland is slopend, daar zijn ze het tenminste over eens.

'Zal ik een lekker warm bad voor je laten vollopen?' stelt Gauvain lief voor als ze weer op hun kamer komen.

'Nee, ik heb liever een naar koud bad,' flapt George eruit.

'Waarom doe je soms toch zo rottig?'

'Je kunt ook zulke voor de hand liggende dingen zeggen... Dat werkt op mijn zenuwen.'

'Ik werk meestal op je zenuwen. Je dacht toch niet dat ik 't niet doorhad...'

'We werken elkaar allebei op de zenuwen, om de beurt, dat is onvermijdelijk. En dan die afmattende dag. Ik ben kapot vanavond.'

Ze verzwijgt dat ze zojuist een harde en pijnlijke knobbel op haar vulva heeft ontdekt. Ze is bang dat het een abces is. '*Welnee, het is je klier van Bartholin die opspeelt,*' zegt de dueña die in de veronderstelling verkeert dat ze Medicijnen heeft gestudeerd. '*Te veel verkeer veroorzaakt verstopping. Jouw potjes van bil gaan zijn wel leuk, maar je moet het even rustig aan doen, dame! Heb je trouwens je mond gezien? Je wordt altijd daar gestraft waar je hebt gezondigd.*'

Ze heeft inderdaad koortsuitslag op haar bovenlip, waardoor ze er begint uit te zien als een belachelijk konijn. Nog een streek van Walt Disney! De laatste dag met Gauvain zal ze op Donald lijken! Die gedachte maakt haar nog kribbiger. Hij heeft zich boos teruggetrokken achter het pantser dat hij soms optrekt. Voor het eerst sinds ze elkaar kennen, vragen ze zich af wat ze samen uitspoken. Ze zouden allebei thuis willen zijn, ieder bij zijn eigen gezin, bij zijn eigen clan, met mensen die dezelfde taal spreken en van dezelfde dingen houden als zij.

Als ze die avond naar bed gaan, haalt George een boek uit haar koffer en opent Gauvain zijn 'leesboek', een willekeurige detective die hij op het vliegveld heeft gekocht; hij likt zijn wijsvinger voor hij de bladzijden omslaat of hij blaast tussen de bladen om ze te scheiden. Ook dat werkt op haar zenuwen. Hij leest heel moeizaam, beweegt zijn hoofd van links naar rechts en weer terug om de regels te volgen, met gefronste wenkbrauwen en een diepe rimpel in zijn voorhoofd alsof hij een gecodeerd document moet ontcijferen. Na drie bladzijden begint hij te gapen, maar hij wil niet eerder gaan slapen dan zij.

Zodra ze het licht heeft uitgedaan komt hij voorzichtig dichterbij, klaar om de aftocht te blazen bij het eerste teken van ongeduld.

''k Zou je graag in m'n armen willen houden, meer niet... Vind je dat goed?'

Ze drukt haar rug tegen zijn buik ten teken van toestemming en hij slaat zijn armen om haar heen. Een warm gevoel van vrede daalt op haar neer zodra ze in de veiligheidsgordel van Gauvains armen ligt. Hij probeert niet vals te spelen, hij verroert geen vin. Hij heeft zelfs zijn corpora delicti tussen zijn benen gestopt, uit kiesheid, en drukt haar alleen maar stevig tegen zich aan. Weet hij niet, die vechtjas, dat hun lichamen buiten hun wil om ontvlammen, alleen door elkaar aan te raken? George draait zich ineens met haar gezicht naar hem toe en ogenblikkelijk laait het verlangen weer op en lijkt niets hun belangrijker dan samen de weg te volgen waarop ze elkaar nooit teleurstellen.

Op de laatste dag rest hun nog een bezoek aan de Everglades. Niemand is er tenminste nog in geslaagd deze duizenden hectaren moerasland te betonneren, dit bewegende slib waarin alleen de wortelboom zich heeft kunnen handhaven.

Meer nog dan elders in Amerika, moet je hier duizend kilometer rijden voor je verandering van landschap kunt verwachten. Langs de oneindige rechte lijn die de Golf van Mexico verbindt met de Atlantische kust dwars door een deprimerende wereld van moerassen omzoomd door kwijnende bomen, zijn, behalve de vrachtwagens en de grote en geruisloze limousines die met een constante snelheid rijden, de vogels de enige levende wezens: zilverreigers, gekuifde kraanvogels, gewone reigers, kiekendieven, adelaars en de nationale vogel, de onvermijdelijke pelikaan, die wild noch tam is, maar kennelijk zo genoeg heeft van lange reizen dat hij zich uiteindelijk goed in het zicht heeft geïnstalleerd op de palen van de aanlegsteigers waarvandaan een rondvaart kan worden gemaakt, en wiens enige afleiding is zich gemiddeld zeshonderd keer per dag te laten fotograferen.

Ze lunchen in Everglades City, verleid door de naam, maar het is niet meer dan een vage strook met huizen, die je noch een stadje noch een dorp kunt noemen, helemaal aan het einde van het immense schiereiland. In een Zwitsers chalet (waarom ook niet, de streek heeft toch geen eigen stijl) belooft het menu *the best fresh seafood in Florida. Best?* M'n neus! *Fresh?* M'n neus! *Sea!* Die is de meest vervuilde ter wereld, volgens de reisgids. Blijft nog over *Food.* Maar het ziet er gezellig en sympathiek uit en de Amerikanen zetten gretig hun tanden in de walgelijke proviand die in hoge bergen met een flinke klodder ketchup wordt opgediend, op kartonnen borden. De garnalen, de kikkers, de strandgapers en de fresh fingers zijn niet van elkaar te onderscheiden. Maar een Fransman is een mopperkont, dat is algemeen bekend.

'Je zou zeggen dat je op plastic Disney-dieren zit te kauwen, vind je niet?'

Gauvain knikt, behoedzaam.

'En heb je het zakje Koffiemeid gezien?' vraagt hij.

'Koffiemeid? Ah! Je bedoelt Kho-fie-meet.'

'Je weet best dat ik in elke taal een Bretons accent heb!'

'Ze zijn in elk geval zo eerlijk dat geen melk te noemen. ''Zuivelvrije creamer'', is het niet geweldig?'

'Terwijl ze omkomen in de melkpoeder, hier net zo goed als in Europa, neem ik aan,' zegt Gauvain.

'En heb je gezien wat erin zit? Moet je horen, ik vertaal het voor je: gedeeltelijk gehydrogeneerde kokosolie, natriumcaseïnaat, mono- en diglyceride, fosfaten, natrium, en natuurlijk artificial flavours en artificial colours! Wat zouden ze er dan aan kunstmatige kleurstoffen kunnen instoppen om het wit te maken?'

'Het smaakt in ieder geval niet slecht,' merkt Gauvain op.

'Mmmm, vooral het dikalium is verrukkelijk. Het is alleen jammer dat je de smaak van de Amerikaanse koffie blijft proeven.'

'En heb je al naar de boter gekeken? 't Lijkt wel scheercrème.' De gruyère komt tenminste uit Oostenrijk en de wijn uit Italië. Het kleine Europa lijkt ineens berstensvol met melkkoeien, kaas, een verscheidenheid aan vissen, kerken uit de vijftiende of zeventiende eeuw die ook werkelijk zijn gebouwd in de vijftiende of zeventiende eeuw en die blijven staan op de plek waar ze zijn neergezet; hun kleine Europa vloeit over van kunst, kastelen, rivieren die niet op elkaar lijken, regionale gerechten, uiteenlopende staatjes en Bretonse, Baskische, Elzasser en Tiroler huizen... Ze zijn blij uit Europa te komen en nog meer uit Frankrijk en nog meer uit Bretagne. De vreugde dat ze samen zijn keert terug.

Voorlopig hebben ze nog urenlang moeraslanden te goed, wortelbomen, zilverreigers, gewone reigers, kraanvogels, kiekendieven en pelikanen, en niet te vergeten de twee of drie karakteristieke dorpjes die langs de snelweg zijn gebouwd opdat de toeristen ze zonder moeite kunnen vinden en kennis kunnen maken met de levenswijze van de Indianen in hun authentieke woonvorm, die is beperkt tot twee of drie hutten, met in één daarvan een 'Curios' winkeltje waar met wol versierde leren riemen en slecht genaaide mocassins worden verkocht. Als de Indianen zouden leren naaien, zou het geen primitieve ambachtskunst meer zijn.

Achter een haag van bamboe is de moderne caravan met televisieantenne te zien waar de primitieven de nacht doorbrengen als ze niet meer doen of ze in een karakteristieke woonvorm leven.

Voor hun laatste avond heeft Gauvain besloten wat geld uit te geven dat Lozerech heeft verdiend: hij heeft een tafeltje voor twee personen besproken in een luxueus restaurant dat bekend staat om zijn goede keuken. Maar de vloek van Walt Disney achtervolgt hen: deze keer is het niet de jeugd maar de ouderdom die de dienst uitmaakt. Gauvain en George zijn de enigen die zich niet voortbewegen met wandelstokken of krukken, die geen trillende handen of kin hebben, die hun eigen gebit nog hebben met authentieke onregelmatige tanden terwijl de andere gasten een vlekkeloos klavier laten zien. Ze stelt zich al die verschrompelde plassertjes voor in pantalons van 500 dollar per stuk, die dorre, verlaten schaamheuvels; ze krijgt medelijden met de knokige handen, de versleten ellebogen, de korsten op de kale mannenschedels tussen de enkele kleurloze draadjes die de naam haar niet meer waardig zijn, of de onregelmatige vlekken waarmee de

wangen van al die oude blondines zijn besmeurd. De onbeschaamde kracht van Gauvain lijkt haar ineens te midden van al
die afgetakelde wezens een baken om zich aan vast te klampen,
en dat wat hij in zijn pantalon van 399,50 francs bewaart, het enige tegengif tegen de dood.

Op het podium zijn 'typische dansers' zich aan het uitsloven,
die met hun intens zwarte huid bestand lijken te zijn tegen de
tand des tijds en die met hun gratie en souplesse hartverscheurend moeten zijn voor hen wier bewegingen elke dag afnemen.

'En toch,' zegt Gauvain, 'moet je de zwarten één ding nageven
(o nee! Genade! Hij zal het toch niet in zijn hoofd halen!), ze hebben gevoel voor ritme. Dat zit ze in het bloed.'

De dueña grijnst. Goh, die heeft zich er lang niet meer mee be-
moeid. In Disneyland had ze geen kik gegeven. De omstandigheden speelden haar in de kaart. *'Zie je wel, twaalf dagen is al te lang,'*
merkt ze op. 'Het is gauw gedaan met een mooie verbintenis als het alleen
om het onderlijf gaat.' 'Noem dat toch niet steeds het onderlijf. Je bent
een ranzige oude vrijster die nog nooit heeft gehuiverd van genot en je
hebt geen idee wat poëzie betekent.' 'Arm kind,' zegt de dueña, 'als jij
maar op de juiste plek wordt gekieteld, wordt je vagina nat en zing jij het
Magnificat. Het is niet meer dan een lichte afscheiding van je klieren,
meisje, je genotslichaampjes worden even gestimuleerd.'

Voor het moment zijn het hun smaakpapillen die worden gestimuleerd, maar ondanks de overheerlijke oesters Rockefeller
krijgt de angst voor de ouderdom Gauvain op zijn beurt in zijn
greep.

'En dan te bedenken dat ik over een paar jaar ook gepensio-
neerd ben! Zodra ik in de zeventiende of achttiende categorie zit,
hou ik ermee op, want dan heb ik voldoende dienstjaren. Je zult
toch ergens van moeten leven, ook al word je nooit zoals zij daar.'

'Maar hoe zou jij het hele jaar thuis kunnen zitten? Jij zonder je
galei, dat kan ik me nauwelijks voorstellen.'

'Dat is wel zo voor wat betreft thuis zitten, dat heb ik nooit gedaan! In ieder geval neem ik 'n bootje. Ik kan altijd nog een beetje

in de buurt gaan vissen. Ik kan me moeilijk voortaan met 'n moestuintje bezighouden.'

Voor de meeste zeelui is het vasteland zoiets als sleur & co. Ze weten op zee aan de kleur van het water waar ze zijn, maar in een tuin kunnen ze nog geen pioenroos van een anemoon onderscheiden.

'Maar voor het zover is, heb ik nog een plannetje,' gaat hij verder terwijl hij zijn t-bone steak van tevoren in kleine stukjes snijdt op zijn bord. 'Moet ik je vertellen. 'n Knettergek verhaal.'

'Waarover? Stop je met vissen?'

'Ben je nou helemaal? Om te beginnen kan dat niet vanwege m'n dienstjaren. Ik zou er niet genoeg hebben. En om m'n plunjezak aan wal te brengen voordat 't moet, kan ik niet over m'n hart krijgen. Nee, 't is iets waarover m'n neef uit Douarnenez het had, je weet wel, Marcel Le Louarn. Je kunt 'r een smak geld mee verdienen. En met Joël die nooit zal kunnen werken, kunnen we dat wel gebruiken.'

Hij aarzelt om verder te gaan. Hij houdt zijn ogen neergeslagen en praat zonder George aan te kijken terwijl hij zijn brood op het tafelkleed verkruimelt.

'Het vervelende is dat het er voor jou en mij misschien niet gemakkelijker op wordt. 'k Zou in de buurt van Zuid-Afrika zijn, als 't doorgaat.'

'Niet gemakkelijker, hoe bedoel je?'

'Nou ja... we zouden elkaar misschien een hele tijd niet kunnen zien.'

'En dat maakt je niks uit?'

'Wat wil je, 't is toch m'n vak?'

'Je zou mij opofferen om een beetje meer vis te vangen en in een land dat nog verder weg ligt? Is dat wat je me probeert te vertellen?'

De dueña, die al naar bed was gegaan, komt als een wervelwind op het tafeltje in het restaurant afgestoven. Ze ruikt dat er heibel gaat komen. *'Hoorde je wat je daar zei? Daar heb je het al, je praat nu als een vissersvrouw!'*

'Het is m'n vak,' herhaalt Gauvain, 'en als je voor dat vak hebt gekozen heb je geen keus,' zegt hij alsof het iets vanzelfsprekends is. 'Je moet 't doen zoals 't hoort, punt uit.'

'Je kunt toch blijven waar je bent? Voor het moment verdien je redelijk.'

'Misschien, maar 'k heb gehoord dat die vis daar niet veel geld meer opbrengt. De mensen hebben tegenwoordig liever biokippen, ze eten geen vis meer. Zelfs voor de trawlnetvissers is 't een slappe tijd en de prijzen voor tonijn kelderen. 'k Zal wat anders moeten vinden.'

'En wanneer gaat het gebeuren, dat buitengewone plan? Ik zou dat wel willen weten. Je telt nu eenmaal een beetje in mijn leven.'

'Verdomme, dacht je dat het voor mij gemakkelijk was? 'k Heb geen rijke familie achter me, ik. Ik heb 'n invalide kind en 'n vrouw die momenteel niet sterk is. 'k Ben niks geen ambtenaar, ik. Ik heb m'n verantwoordelijkheden, 'k moet eerst aan hun denken.'

Hoe geïrriteerder hij is, hoe meer taalfouten hij maakt. Verdomme, wat heeft ze toch te zoeken bij een vent die er alleen maar aan denkt dat hij in de zeventiende categorie wil komen?

'Hoor eens... voor mij is het ook niet altijd eenvoudig geweest, als je dat soms dacht. Zou het je opluchten als we er een punt achter zouden zetten? Als we elkaar niet meer zien?'

'Opluchten, ja, 't zou me wel opluchten.'

De ruwe oprechtheid van Gauvain verrast haar altijd.

'Goed, prima, de situatie lijkt me wel duidelijk: het kan je niet meer zoveel schelen om me te zien, het maakt je bestaan te ingewikkeld en...'

'Dat heb ik nooit gezegd,' interrumpeert Gauvain. ''k Heb gezegd dat ik op 'n bepaalde manier opgelucht zou zijn, da's wat anders. En bovendien gebeurt 't trouwens niet meteen. 'k Weet niet eens waarom ik erover begonnen ben.'

De rekening wordt gebracht die Gauvain eerst lange tijd vorsend bekijkt voor hij zijn dollars te voorschijn haalt die hij al lik-

kend aan zijn wijsvinger neertelt. Dan trekt hij met een somber
gezicht zijn jasje aan. George heeft haar sjaal om gehouden: je
haalt je de dood op de hals in die gekoelde restaurants.

Als ze buiten komen, komen ze een honderdjarige in zijn loop-
rek tegen in gezelschap van een kale echtgenote. George drukt
zich werktuiglijk tegen Gauvain aan en ze gaan zonder te spreken
terug naar het hotel. De volgende dag zullen hun wegen zich
scheiden en ze voelen zich al verweesd.

'Wat m'n plan betreft, daar staat nog niks van vast, 't is alleen
een idee,' fluistert hij even later in het oor van George voor ze in
slaap vallen, als twee inktvissen met elkaar verstrengeld.

De volgende ochtend zal de wekker al om vijf uur aflopen. Dat
is niet het moment voor toenadering. Ze vertrekken zelfs niet samen. George gaat terug naar Montreal met een tussenstop in Bos-
ton om een dag met Ellen door te brengen, die op haar beurt
klaarstaat om naar Jamaica te vliegen, met erecte pubococcygeus.
Gauvain gaat meteen 's morgens naar Parijs. Hij zal met een trieste glimlach zijn gevlochten sandalen met crêpezolen aantrekken,
zijn jacquard-jack met ritssluiting aanschieten dat Marie-Josée
voor hem heeft gebreid, en boven op zijn tas, 'voor als ik in Parijs
aankom', zijn marineblauwe pet klaarleggen. Hij zal zich weer als
visser kleden en hij zal niet meer van haar zijn. Wil ze dat trouwens wel? Haar koortslip is die nacht een pestbuil geworden die
haar snoet helemaal vervormt. Doordat ze zich lelijk voelt, houdt
ze niet meer van Gauvain en ze heeft plotseling haast hem te zien
vertrekken.

Hij kust haar op de hoek van haar onderlip en zij drukt nog eenmaal die massieve romp tegen zich aan die ze nauwelijks met haar
armen kan omspannen. Waarom heeft ze altijd zin om te huilen
als ze die man verlaat? Zonder zich nog eens om te draaien stapt
hij in de bus van Miami International Airport. Hij is tegen taxi's en
hij wil nooit dat George met hem meegaat; sinds die eerste keer op
het station Montparnasse hebben perrons een geur van nooit
meer. George keert terug naar haar kamer om haar koffer verder

in te pakken en ze maakt zich klaar om voor de laatste keer te gaan zwemmen, als de telefoon gaat.

'Georch'... Ik ben 't.'

Hij die telefoons verafschuwt, heeft het voor elkaar gekregen een apparaat te bedienen waarvan de gebruiksaanwijzing in het Amerikaans is, heeft aan *cents* kunnen komen, heeft het nummer van het hotel onthouden... ze smelt.

'Heb je al eens 'n kerel aan de telefoon zien huilen?'

'...'

'Nou, kijk dan maar eens in de hoorn. En vergeet alles wat ik gisteravond tegen je heb gezegd. 'k Zal je wat anders zeggen: 't is net of er iets van me doodgaat telkens als ik bij je wegga. Ik zeg dat nou, want ik zou 't niet kunnen schrijven. Zelfs als ik 'n hekel aan je heb, hou ik van je. Snap je dat?'

George zit met toegeknepen keel.

'Georch'? Hoor je me? Ben je er nog?'

'Ja, maar ik kan niet...'

'Hindert niks, voor één keer wilde ik je eens wat zeggen. En ook dat ik het gisteren wel leuk vond dat je zat te mokken omdat ik het erover had om naar Zuid-Afrika te gaan. Grappig, net of je een beetje m'n vrouw bent!'

Zoals gewoonlijk wordt Gauvain schrander als hij ongelukkig is. Als hij op zijn gemak is, als hij plezier heeft, als hij grapjes wil maken, vindt George hem een zak. Ach, wat is de liefde toch mooi!

'Nou, 'k zou nog wel meer willen zeggen maar ik moet er vandoor. Lach niet, deze keer is het waar, m'n Amerikaanse poen is op!'

Hij lacht op de manier waar zij van houdt. Ze hebben toch wel zo hun eigen woordjes, zinspelinkjes, grapjes, verstandhoudinkjes, jeugdherinneringen ook, zonder welke een liefde niet meer is dan een seksueel avontuurtje.

'Schrijf me.'

Ze hebben het op hetzelfde moment gezegd.

8
VÉZELAY

Ik maakte me op om met Gauvain te trouwen. De receptie vond plaats in de grote woonkamer van mijn ouders in Parijs, midden tussen hun kunstwerken en de stukken die mijn vader had verzameld, die ik absoluut niet herkende. Het huis leek op een overdadig versierde barokke Italiaanse kerk! Iemand wees Gauvain achtereenvolgens de meest interessante stukken aan en zei tegen hem: 'Realiseert u zich wat zo'n vaas kan kosten, of dat beeld, of dat schilderij? Bijna twintigduizend dollar!' 'Die prullen?' riep Gauvain ongelovig. Hij kende de koers van de dollar niet, maar hij was geërgerd en hij raakte er steeds meer van overtuigd dat kunst alleen maar geldklopperij op grote schaal was die door snobs was opgezet.

Hij droeg een gewoon kostuum maar hij had zijn zeemanspet opgehouden en het lukte me niet bij hem te komen om hem te zeggen die af te doen. De genodigden ginnegapten.

Ik bleef tegen mezelf zeggen: 'Als we scheiden, krijgt hij de helft van al die "prullen" die hij verafschuwt! Hoe heb ik ertoe kunnen komen met hem te trouwen?' Hij rookte ook nog een bewerkt pijpje waardoor hij er belachelijk zeebonkerig uitzag en ik dacht: Goh, ik wist niet dat hij pijp rookte, dat heeft hij me nooit gezegd, VAN TEVOREN!

En toen kwam hij ineens achter me zitten; ik had me teruggetrokken op een poef achter in de kamer en hij drukte mijn hoofd zo teder tegen zijn borst dat ik dacht: Ja, nu weet ik het weer: daarom trouw ik met hem. Precies daarom.

Maar ik bleef het belachelijk vinden dat ik trouwde. Wat een idee op onze leeftijd in plaats van gewoon samenwonen.

Er gebeurde nog van alles tijdens die bruiloft, ik ontmoette vrienden die allemaal stomverbaasd waren over mijn 'verraad'; ik zou nog heel wat interessante details kunnen vertellen, maar naarmate ik er meer bij stilsta worden ze steeds onbelangrijker, zoals in de meeste dromen gebeurt, wat de dromers er ook over mogen denken. Ik raak in paniek als een vriendin me opbelt om me te zeggen dat ze die nacht een uitzonderlijke droom heeft gehad en dat ze me die per se moet vertellen, dat ik niet zal weten wat ik hoor. Het zal ongetwijfeld weer zo'n verward verhaal zijn vol onbeduidende episodes en slaapverwekkende beschrijvingen die de droomster bijzonder belangwekkend vindt en onontbeerlijk, wil ik er iets van begrijpen. 'Het was bij mij thuis en tegelijkertijd herkende ik niets... snap je wat ik bedoel?'... of: 'Ik zweefde boven de stad alsof het de gewoonste zaak van de wereld was, begrijp je? En je kunt je niet voorstellen hoe gelukkig ik me daar voelde...'

O jawel, dat is heel goed te begrijpen; o jawel, dat is heel goed voor te stellen. We hebben allemaal wel eens gezweefd, we zijn allemaal wel eens de voordeur uitgestapt om ons vervolgens in een onbekende stad te bevinden. Zeldzame uitzonderingen daargelaten, is dat alles van een misselijkmakende banaliteit en mijn dromen horen tot de meest misselijkmakende die ik ken: weinig diepgaand, alledaags, vol details die ik de dag ervoor heb meegemaakt en zo doorzichtig dat ze zelfs de botste psychoanalytici ontmoedigen. Ik begrijp niet goed waarom er onder mijn bewustzijn, dat toch betrekkelijk interessant en achtenswaardig is, zo'n armzalig onderbewustzijn kabbelt.

En toch laten zelfs de meest middelmatige dromen bij hen die ze hebben bezocht nog een indruk achter, een geur die pas na enkele dagen geheel is verdwenen. Iemand is ontsnapt uit tijd en ruimte om je een teken te geven, Gauvain had me die nacht in zijn armen gehouden en ook hij, dat wist ik zeker, had me in zijn droom gezien.

Aangeslagen door de herinnering aan hem, heb ik hem een brief geschreven die tederder was dan anders en waar ik al spijt van had toen ik hem had gepost. Want ik wist dat de brief, meer nog dan aan hem, gericht was aan de ophanden zijnde ouderdom, aan de drift om te leven en de drift op een dag niet meer te leven, aan de gelegenheden die ik voorbij had laten gaan, aan de lust om de liefde te bedrijven en misschien wel heel eenvoudig aan het plezier om 'ik hou van je' te schrijven. Ik zei al niet meer 'ik hou van je' tegen Syd in die tijd.

Maar ik weet in welk licht ik het moet zien en ook dat Gauvain gevaar loopt het voor goede munt aan te nemen omdat hij niet genoeg op zijn hoede is voor dames die het schrijven van geschiedenissen als beroep hebben, noch voor dames die van hun dolle liefde zijn beroofd en die dromen.

Ik heb hem maar weinig en vluchtig gezien, mijn aalscholver, in die jaren. Als hij landt vanuit Dakar, kan ik zelfs niet naar het vliegveld Orly om hem af te halen, want hij reist samen met zijn bemanning en hij ziet geen mogelijkheid om, al was het maar voor twee dagen, in Parijs te blijven, daar de anderen diezelfde avond nog naar Lorient doorreizen en hun vissersvrouwen ze al op Lann-Bihoué opwachten. En volgens hem valt er geen smoes te bedenken die Marie-Josée zou geloven! Ik ben er een beetje boos om. We kunnen net even samen lunchen, soms een middag meepikken. Toch zie ik in het restaurant niet Gauvain terug maar Lozerech met zijn kapiteinspet, zijn eeuwige jacks, geruit van voren en effen van achteren (alleen toeristen dragen joppers), en onze onbeholpenheid telkens als onze lichamen elkaar niet kunnen aanraken.

Ik vertel hem over mijn reizen en ik kan er maar niet aan wennen dat hij Napoli en Tripoli, de Etna en de Fuji Yama door elkaar haalt. Uit zijn portefeuille pakt hij zijn Afrikaanse foto's waarop hij zo trots is: 'Kijk, dat is mijn auto, half achter de vrachtwagen.' Of de achterkanten van trawlers tussen de hijskranen in een binnenhaven. Of de ingang van een dancing ergens in Senegal met drie vage figuren: 'Die daar is Job, 'k heb het wel eens over hem gehad. De twee anderen ken je niet.' En het Paleis van Justitie in Dakar, genomen op een regenachtige dag.

We hebben het even over politiek totdat hij een van zijn stellige uitspraken doet: 'Praatjesmakers, allemaal, zonder uitzondering!' of: 'Een stelletje klootzakken, meer heb ik er niet over te zeggen!...' Als het al niet 'een lading schoften' is, dat hangt ervan af.

Van onze intimiteit, die we nu uitsluitend met gesprekken moeten voeden, blijft niet veel over. Blijft nog over het wel en wee van de familie: Yvonne, die weduwe is geworden en die een harde dobber heeft aan haar kwajongens. De tweede heeft stomme streken uitgehaald en zit nu in de bak. Met zijn eigen kinderen gaat het wel goed, vooral de twee oudsten, maar ze hebben zoveel diploma's dat hij niet meer weet wat hij tegen ze moet zeggen. Ik durf hem niet goed op te biechten dat Loïc laatdunkend heeft geweigerd verder te studeren en dat hij militant lid is van een links-ecologische splintergroepering die niet alleen geweldloosheid predikt maar ook tegen elke vorm van produktiewerk is om het milieu niet te vervuilen en niet mee te werken aan het verrijken van die vreselijke en spilzieke consumptiemaatschappij. Moeilijk om aan Lozerech, die er nauwelijks profijt van trekt, duidelijk te maken dat onze luxebeschaving verwerpelijk is.

'En onze oude buurman, Le Floch, de vader van de Le Floch die in Concarneau op de kade 'n hengelsportzaak heeft, je weet wel, die is vorige maand gestorven...'

'Dat overkomt ons allemaal, Karedig, vroeg of laat...'

'Kun je niet eens een keer wat anders zeggen?'

'Maar het is een feit, George. En voor die arme Le Floch, eigenlijk... Niet geleden... Voor de nabestaanden is het... Hij is daarginds beter af...'

Hij slaat er niet een over.

Ik vraag me wel eens af waarom we doorgaan elkaar in zulke treurige omstandigheden te ontmoeten. Maar iedere keer als hij terugkomt belt Gauvain op om me te vertellen op welke dag hij aankomt en ik zeg welke afspraak ik ook heb af om me vrij te maken, alsof we over die dorre ontmoetingen heen een contact in stand houden voor een of andere toekomst, in naam van een geheim dat we diep in ons hart bewaren.

In bepaalde periodes van het bestaan meen je dat de liefdesdaad het meest essentiële is. In andere periodes hecht je meer waarde aan intelligentie, werk, succes. Door de kabbelende lauwheid waarin mijn verhouding met Sydney na acht of negen jaar samenzijn was terechtgekomen, en doordat ik de goddelijke roering met Gauvain bij gebrek aan recente oefening begon te vergeten, plaatste ik mijn werk in die tijd nogal op de voorgrond, vooral doordat ik mijn nieuwe werk boeiend vond. Een van de redenen waarom ik het had aangenomen, was dat ik weldra zou binnenvaren in de gevaarlijke Straat van Magallanes van de veertigers, en de alarmklok van het 'nu of nooit' in mijn oren begon te luiden. Als je twintig bent zou je alles willen en kun je redelijkerwijs alles verwachten. Als je dertig bent denk je nog steeds dat alles zal komen. Als je veertig bent is het te laat. Niet dat je zelf te oud bent geworden, de hoop in je is te oud geworden. Zo zou ik nooit meer arts worden, mijn jeugdideaal; of archeologe in Egypte, mijn kinderideaal; of biologe, of wetenschappelijk onderzoekster of etnologe. Al deze dromen hadden me warm gehouden en hadden mijn innerlijke landschap verrijkt. Ouder worden is zoiets als ontvolkt worden. Ik zou in elk geval door de carrière als journaliste die me was aangeboden bij een tijdschrift voor Geschiedenis en

Etnologie, de kans hebben rond te fladderen in mijn favoriete domeinen.

Ik was ook van plan een Geschiedenis van de Geneeskunde en de Vrouw te schrijven, waardoor ik gehoor zou kunnen geven aan mijn driedubbele roeping van weleer. De mooiste leeftijd is uiteindelijk de periode waarin je weet aan welke dromen je het meest bent gehecht; de periode waarin je er nog een paar kunt realiseren.

Omdat ik voor mijn blad, *Hier et Aujourd'hui*, veel moest reizen, had ik twee jaar onbetaald verlof genomen van de universiteit.

Ook bij Gauvain was het een en ander veranderd, niet zozeer in zijn leven als wel in zijn werk. De rederij van Concarneau had uiteindelijk besloten op de Seychellen een basis te vestigen voor een aantal supertonijnschepen die aan de lopende band moesten vissen en hij was aangesteld als commandant van een van die gigantische drijvende fabrieken, die de *Raguenès* was gedoopt. In de eerste periode van zes maanden hadden ze veel gevangen en toch schreef Gauvain me brieven waaruit ik ondanks zijn schroom proefde dat hij niet gelukkig was. Dakar was een soort filiaal van Frankrijk gebleven, het wemelde er van de Bretons, zijn taal werd er gesproken. Op Mahé, waar Engels de officiële taal was, voelde hij zich als een balling aan het einde van de wereld. Hij verheelde niet dat hij haast had om voor de 'Indische winter', als de moesson de oceaan teistert, naar huis te gaan.

In Frankrijk hadden we een ongelofelijk mooi voorjaar, zo'n seizoen waarin zelfs liefdes die al lang dood en begraven waren weer uitbotten, waarin je een vogel zou willen zijn en je je alleen maar zou willen overgeven aan de vreugde om zelfs een kortstondig geluk te beleven. Op zulke ogenblikken heb je soms voldoende aan een zuchtje wind om je weer twintig te voelen.

Ik bracht Gauvain op een avond terug naar Orly, na een van die lunchafspraken die altijd een onbevredigd gevoel in me achterlieten. In achten gevouwen vulde hij alle hoekjes en gaatjes van mijn Kever, en zijn robuuste voorkomen, zijn brede knieën tegen het dashboard, zijn krullebol die het dak raakte en zijn handen die in de stad altijd zo groot leken, maakten in mij meer wakker dan alleen herinneringen. In de kleine stuurhut draaiden onze bijgedachten om ons heen en werd de lucht zwaar van onderdrukte verlangens. Ik wilde net iets zeggen maar vond de woorden niet, toen Gauvain zijn hand op mijn dijbeen legde. Ik voelde hoe hij beefde.

'Ja,' fluisterde ik. En dat ja drukte heel wat uit: ja, ik hou nog van je maar ja, het is te laat en we kunnen toch niet ons hele leven dat spelletje blijven spelen, dat zou toch belachelijk worden?

Hij legde met een vertrouwd gebaar zijn slaap tegen de mijne en we zijn zonder een woord te zeggen naar de ondergrondse parkeerplaats gereden. Het leven vonden we ineens heel wreed en dat hele voorjaar sloeg nergens op.

Toen ik mijn auto achter in de derde ondergrondse laag van de hel parkeerde, pakte hij bijna ruw mijn hand omdat hij plotseling onmogelijk zo afscheid van me kon nemen als hij anders deed.

'Luister... 'k Vind het niet leuk om te zeggen, maar ik kan er soms niet meer tegen je nooit te zien... nou ja, 'k zie je wel, maar... nou ja, je begrijpt wel wat ik bedoel. Dus had ik dit gedacht. Ik weet niet precies wanneer we teruggaan naar Mahé, maar misschien kan ik er vijf of zes dagen tussenuit knijpen, vlak voor we vertrekken. Het schip wordt dan opnieuw geschilderd en er is altijd vertraging. We zouden dan samen kunnen zijn als je dat wilt... en als je vrij bent. En als je er nog zin in hebt, natuurlijk?'

Zin? Ik liet mijn ogen over hem dwalen om me alles weer voor de geest te halen waarvan ik had gehouden: zijn piratengezicht dat jonger werd door de hoop die hij zojuist had aangewakkerd, zijn gekrulde wimpers met de door de zon rossig geworden punten en de mond die me zo vaak de smaak van de eeuwigheid had laten proeven. Maar ik werd door een zekere vermoeidheid bevangen bij de gedachte aan een nieuwe koortsaanval die weer moest worden beteugeld, net als de vorige, en die weer onder de as moest worden verstikt om het gewone leven te kunnen hervatten. Waren we niet te oud geworden voor dit soort spelletjes?

'Zeg niet meteen nee,' onderbrak Gauvain die mijn gedachtengang volgde. ''k Weet precies wat je wilt zeggen. En wie me zou aanraden er helemaal mee te kappen, zou ik groot gelijk geven. Maar 't is sterker dan ik,' en zijn zo zachte harde hand begon langs de contouren van mijn gezicht te strijken, zijn Siberische huskyogen werden donker van tederheid. 'Als ik je zie kan ik niet geloven dat ik je kwijt ben. Het is 'n zonde, maar ik beschouw je als m'n vrouw, de vrouw die ik vanaf het begin heb willen hebben.'

Mijn tot dan toe zo zorgvuldig gemuilkorfde lichaam werd met de snelheid van het licht, of met de snelheid van de herinnering, overspoeld door een golf van emotie. Achter in de derde ondergrondse parkeerlaag van Orly drong ineens het voorjaar door. Ik heb nooit het voorjaar kunnen weerstaan.

'Beginnen we dan weer met die dwaasheid? Weer het risico lopen ongelukkig te worden?'

'Ongelukkig zijn kan me geen moer schelen. Nooit gelukkig zijn, dat is... dat is...'

'Lozerechje, we hebben geen tijd meer om over liefde te praten, heb je gezien hoe laat het is? Laat me liever snel in mijn agenda kijken...'

Ik moest juist binnenkort een reportage maken over het Gallische dorpje dat niet ver van Alésia zou worden gereconstrueerd. Waarom zou ik Gauvain niet aan een cultureel uitstapje wagen en hem meenemen, naar Vézelay bijvoorbeeld? Ik raakte plotseling opgewonden bij de gedachte aan de liefde.

'En als ik je nu eens een keer in Frankrijk uitnodigde? Mijn hotel wordt toch betaald, een één- of tweepersoonsbed maakt niet uit en we zouden ons kunnen trakteren op een gastronomisch en historisch reisje en zo...'

'Prima, vooral dat "en zo"! Maar ik neem desnoods jouw geschiedenis op de koop toe, o zo!'

Hij omarmde me zo heftig als maar kon in de beperkte ruimte van de auto, greep zijn tas van de achterbank en liep weg met zijn wiegelende gang waar mijn hart vroeger al van oversloeg. Terug in het daglicht snoof ik genietend de lucht van hangars en verkeerspleinen op en vroeg ik me verbaasd af hoe ik het zo lang zonder deze intense manier van leven had kunnen stellen.

Zo vond ik voor één keer in het hart van Frankrijk mijn aalscholver terug, enkele weken later, maar een vreemd aangeslagen aalscholver die met zijn vleugels over de grond sleepte als een met olie besmeurde vogel. Het plezier om me een paar dagen voor hemzelf te hebben kon zijn bedruktheid en zijn vrees voor het dreigende vertrek naar de Seychellen niet verhullen.

'Vier dagen is te weinig, 't is bijna nog erger dan niks,' zei hij toen hij in mijn auto stapte, om zich te verontschuldigen voor zijn nervositeit die ik niet van hem gewend was. 'Ik kan niet zo snel leven!'

Voor het eerst sinds ik hem met ontbloot bovenlijf tussen de rijpe schoven boven op een kar had zien staan en hij mijn gestel had geruïneerd – want een gevoel dat twintig jaar blijft bestaan heeft veel weg van een ravage – was hij niet meer de triomferende centaur op wie leed en tijd geen vat hadden. Zijn ogen leken kleiner en niet meer zo fel blauw en ik ontwaarde op zijn slapen enkele witte strepen tussen zijn astrakan krullen. Zijn gezicht begon op de slijtageplekken wat slapper te worden en de bollingen en holtes waren sterker geprononceerd rond zijn ogen die hij vaak toekneep, tussen twee diepe rimpels in zijn voorhoofd. Voor het eerst was achter zijn nog altijd mooie trekken het gezicht te zien van de oude man die hij later zou zijn.

We verlieten Parijs in mijn trouwe Kever, op een van die bedrieglijke ochtenden in de nazomer waarin alles zinspeelt op verraad, ofschoon het nergens duidelijk is te zien. De herfst verschool zich nog achter zijn bloeseming van asters, helianten en chrysanten, een onecht voorjaar dat de wereld denkt te kunnen bedotten met blauwe regen en rozen. Maar de aarde lag daar, opengereten door de ploegijzers, naakt, haar oogsten afgesneden, ontdaan van haar haardos van onkruid. Alleen de Bourgondische wijngebieden maakten zich op voor hun uur van triomf.

Was het dat gevoel dat de winter naderde waardoor elk jaar weer mijn nazomers heimelijk werden vergiftigd? Of was het de onmetelijke afstand naar de plek waar Gauvain leefde, die nu zelfs niet meer op mijn halfrond ademde maar vier graden onder de evenaar? De trossen die we elkaar toewierpen om ons dichter naar elkaar toe te halen, vielen in het luchtledige en iets dat moeilijker te overbruggen was dan de afstand had tussen ons plaats genomen. We reden driehonderd kilometer zonder dat we elkaar konden bereiken. Het lukte me niet meer mijn plaats in zijn leven te vinden. Had ik er trouwens wel een, behalve in mijn dromen? Ook hij leek slecht op zijn gemak, maar ik weet dat hij er niet goed tegen kan zo lang in een auto stil te zitten. Hij was rusteloos als een gekooide beer, bewoog telkens zijn hals op zijn schouders alsof hij hem wilde losschroeven, schoof zijn billen heen en weer in zijn broek die kennelijk zijn edele delen afknelde, sloeg zijn benen over elkaar en weer terug en kon maar niet besluiten welke hij over de andere zou leggen. Het mankeerde er nog maar aan dat hij, om helemaal onuitstaanbaar te zijn, om de haverklap vroeg: 'Mam, is het nog ver?... Mam, wanneer zijn we er?' Maar zijn grote, zware hand lag op mijn rechterbeen als een belofte. En Gauvain komt altijd zijn beloftes na. Toch slaagden we er niet in tot dat allesoverheersende bestand te komen waardoor we bij onze andere ontmoetingen ons dagelijkse leven konden vergeten, vanaf de eerste seconde dat we elkaar terugzagen. Hij voelde zich zo terneergeslagen dat hij bijna zijn behoefte aan liefde toegaf en dat een teder gebaar hem bijna tot tranen bracht. Hij bedreef de liefde niet meer zoals je een feestmaal verslindt, van ongeduld trappelt, of ademhaalt, maar meer zoals je je in het water gooit, je wreekt, je bezat. En hij maakte me met een soort woede deelgenoot van zijn kwelling, hij trachtte zich te bevrijden van iets dat hem verstikte. Het woord 'depressie' had nooit deel uitgemaakt van zijn woordenschat en dus ook niet van zijn leven. En de term 'balen' leek terecht belachelijk. Aangezien hij het moeilijk kon hebben over 'existentiële angst' zei hij telkens weer: 'Ik ben niet lekker op dreef.'

Het werk was veel zwaarder dan in Mauritanië of Ivoorkust en de korte verpozingen in de haven waren minder opwekkend dan in Afrika waar hij zoveel kameraden had, Bretons, Basken, Vendeeërs. En de eilanden van de levensvreugde waar niemand zich wilde 'uitsloven' brachten hem aan het twijfelen over de keuzen die hij had gemaakt. Bovendien was hij daarginds dertig dagen achtereen op zee, 'dertig dagen in het gelid' zoals hij zei, samen met dertig 'vaderlanders' en drie zwarten die met z'n drieën nog niet het werk deden van één Bretonse scheepsjongen.

Voor het eerst in zijn bestaan waren zijn zekerheden aangetast. Juist dat matte hem zo af. Hij kon niet leven zonder zijn zekerheden en hij was niet in staat ze in te wisselen voor andere. Hij kwam dwangmatig terug op zijn problemen, overdag als we onze slakken uit Bourgogne of onze ragoût van wilde paddestoelen nuttigden in de restaurants van die streek die bezaaid is met gastronomische sterren; 's nachts na de liefde, als hij niet in slaap kon komen.

Ik ontdekte zijn trots. Hij kon er slecht tegen niet meer gerespecteerd te worden in zijn vak. Je kon hem vragen te sterven om een 'jachtsboot' in nood te redden, maar niet om vraagtekens te zetten bij dat waardoor in zijn ogen zijn vak anders was dan andere.

'Weet je, die lui van de Seychellen, die lachen ons uit omdat we ons in 't zweet werken. Ze vinden 't belachelijk dat we van zo ver komen om zo'n klus te doen, met schepen die miljarden kosten, en dat allemaal om tonijn in blik naar de Fransen te sturen die alles al te vreten hebben wat ze willen! En weet je wat dat kost, zo'n tonijnschip van ons?'

Nee, ik weet niet wat dat kost. En ik hoef dat ook niet per se te horen om twee uur 's nachts en het is onze eerste nacht samen en ik wil graag slapen, of neuken, of liefdeswoordjes zeggen, niet ho-

ren hoeveel het kost om een tonijnvriezer aan de ketting te hou‐
den op Mahé! En dan moet ik in deze situatie ook nog ontsteld
antwoorden: 'Nee, dat meen je niet!' als hij, niet zonder trots, een
aantal miljarden noemt dat hoe dan ook, overdag zowel als
's nachts, mijn verstand te boven gaat.

'Dus je kunt wel nagaan! De baas zit constant in angst. 't Is niet
het werk dat je kapotmaakt, maar de angst. En je bent ook nog 's
verantwoordelijk voor de elektronische apparatuur en de mo‐
dernste machines waarvan je geen idee hebt wat ze kosten. 't Is
een ramp als er wat stukgaat of als je panne krijgt. Elke dag dat je
stilligt kost de rederij 'n fortuin. En het levert de bemanning na‐
tuurlijk ook minder geld op. En in dat kloteland kunnen ze niks
repareren, 't kan niemand wat schelen en niemand weet wat
werken is. Niemand steekt een poot uit. Ze vinden ons gewoon
geschift!'

'Misschien zijn jullie dat op een bepaalde manier ook wel.'

'Misschien wel. Maar ik kan niet anders, dat is 't rotte. En hoe je
't ook bekijkt, zelfs als ik het wilde zou ik niet van vak kunnen
veranderen: ik kan niks anders.'

Ik zeg hem dat hij best iets anders kan en dat ik het fijn vind wat
hij doet en nog meer de manier waarop hij het doet. En ik ver‐
plaats me in de persoon van Bécassine die niet in staat is het zware
leven van de man te begrijpen en die maar aan één ding denkt:
zich laten betasten. Gewoonlijk beurt dit soort gedrag hem op. En
misschien wel dit soort vrouwen? Hij heeft behoefte aan futilitei‐
ten. Solange Dandillot en de Forçat de la Grande Bleue bedrijven
eindelijk de liefde.

Niet zonder een gevoel van vernedering had ik me in mijn
jeugd eerder vergeleken met Andrée Hacquebaut, die achtergela‐
ten werd op een mat voor de deur van de geliefde Meester, in de
tijd dat Montherlant oppermachtig de meisjes rangschikte, leeg‐
hoofden maakte van de mooie om reden te meer te hebben ze te
minachten, en lelijkerds van de intelligente om reden te meer te
hebben ze te verwijzen naar het rijk der duisternis, ver van zijn
goddelijke Penis.

Bij Gauvain kon ik beide rollen spelen. Maar vandaag was Solange op het toneel die ritselde en babbelde om zijn gedachten van de zee af te houden. De zee, dat rotwijf, keert helaas altijd met gezwinde spoed terug, en we stevenen alweer in de richting van de Indische Oceaan die tegen de funderingen van het Hôtel de la Poste aanslaat!

'Het ergste is nog,' borduurt Gauvain voort op zijn laatste zin alsof de liefde niet meer was geweest dan een kort intermezzo, 'dat 't allemaal geen steek meer met vissen heeft te maken. 't Is een ander vak. Je ziet de vis tegenwoordig nauwelijks meer. Hup gevangen, hup de ingewanden eruit en bevroren. Je werkt gewoon aan de lopende band. Nog even en de tonijn wordt ingeblikt opgevist...'

Van tonijn heeft Solange haar buik vol. Die rotbeesten zijn bij ze in de auto gestapt, ze hebben bij hen aan tafel gezeten en zijn mee geweest op excursie, en nu liggen ze in hun bed! Er zit niets anders op dan zich in de armen van Lozerech te nestelen en zo nu en dan een opmerking te plaatsen, want slapen is er niet bij. Maar hoe kun je als leek geschikte vragen stellen? Je blijft hardnekkig vasthouden aan het idee dat onze criteria voor comfort, gezondheid en welzijn van toepassing zijn op hun leven daar, terwijl de meest gewone dingen, een bed, een rij boeken die je denkt te kennen, op een schip geen bed en een rij boeken meer zijn. Aan boord is alles vertekend door de monsterachtige parameter die oceaan heet.

'En toch, toen je het in het begin had over de trawler in Ierland, weet ik nog dat je zei: "'t Is een hel!" In de tropen is het toch minder erg? Jullie slapen niet meer in die smalle kooien... Er zijn douches.'

'Op een bepaalde manier is 't erger dan de hel.'

Hij geeft geen details, de omvang van die taak ontmoedigt hem.

'Dat valt met geen pen te beschrijven,' bromt hij alleen maar, waarna er een stilte valt die wordt bevolkt door beelden die niet vertaald kunnen worden. Ik maak er laf misbruik van door de trossen wat te laten vieren. Maar Gauvain is nog niet klaar. Hij vervolgt zijn monoloog, de armen achter het hoofd gekruist, de ogen naar het plafond gericht, een van zijn dijbenen over het mijne om me te verzekeren dat zijn lichaam bij me is als zijn geest afdwaalt.

'Het weer was niet veel soeps, da's waar. Maar dat vond ik niet zo erg. 'k Was tenminste zeeman. Nu vang je geen vis meer maar bankbiljetten. En 't is niet meer de baas die commando's geeft, maar de machine. 't Is net of ik 'n arbeider ben geworden!'

'Een arbeider die midden op zee werkt, met de wind, de golven...'

'Golven? Die hoor je niet eens!' hoont Gauvain. 'Ik zou je wel 's aan boord willen meemaken, al was het maar een week! Met al die motoren die vierentwintig uur per dag lopen, voor de vriesgangen waar je de tonijn opstapelt, machines die ijs maken voor de pekelbakken, en als 't buiten 40° is, heb je dat wel nodig ook! En dan de motor van 't schip daar nog overheen: 2000 pk! En dan nog de helikopter om de scholen vis op te sporen, die was ik nog vergeten. D'r is 'n herrie waar je niet goed van wordt. Je weet op 't laatst niet meer waar je bent en je weet niet wat erger is: de machinekamer waar het 45° is of de vriesgangen waar de muren onder de rijp zitten... En zelfs in de haven heb je nog de motor van de airconditioning en de motor van de hijskraan die de tonijn uit de ruimen hijst in pakken van tweeduizend kilo. Ik was gewend met kisten te werken, m'n haak rechtstreeks in de vis te slaan. Ik hou er niet van dat ik in dienst van 'n machine ben. Nee, je moet krankjorum zijn om in die omstandigheden te werken. In ieder geval ben ik te oud. En omdat de tonijn opraakt... Nou ja, dat zal me 'n zorg zijn, tegen die tijd ben ik met pensioen.'

Ik leg me erbij neer niet te zullen slapen en ik doe het licht weer aan. De lucht is zacht, die nacht, en we leunen met de ellebogen op de vensterbank van het zolderkamertje, dat uitkijkt over de rommelige daken van Vézelay, over de roerloze heuvels, over dat verstilde landschap dat zich zwijgend uitstrekt onder de ogen van

Gauvain, het summum van buitenleven en landelijke rust, dat waarover hij soms moet dromen 's nachts bij slecht weer. Hij haalt een sigaret uit de zak van zijn jasje, voor het eerst sinds ik hem ken.

'Vind je het goed,' vraagt hij, ''t is tegen de zenuwen.'

'Dus je bent daar ongelukkig?'

'Dat zeg ik niet.'

Altijd bang zijn problemen te overschatten. Maar deze avond kan zelfs de liefde niets voor hem doen, hij heeft vooral behoefte aan een geduldig oor.

De volgende dag lijkt Gauvain van een deel van zijn last verlost. We picknicken met brood en worst, kaas en fruit en ik sleep hem mee naar een paar 'oude stenen' zoals hij zegt. Het is voor het eerst dat we samen ons land bezoeken en in andere tijden zou hij dat leuk vinden. Ik gebruik overigens alle kneepjes van mijn vak om zijn interesse op te wekken. We vinden zelfs Vauban terug, zijn Vauban van de Ville Close, die hier is begraven in een kleine kapel die hij had laten bouwen ver van de zee, aan de voet van het kasteel van Bazoches dat hij had gekocht en dat stamt uit de twaalfde eeuw, het nederigste bouwwerk van de streek.

Onze lange wandelingen over de zo aardse landerijen, de constante en geruststellende aanwezigheid van het verleden, brengen de ziel van mijn zeevogel wat tot rust. Op zijn gezicht komt het kinderlijke weer boven, maar zijn ogen lijken minder blauw. Bepaalde ogen die bij het water horen verbleken aldus op het platteland. Als ze het blauw van de zee weerspiegelen komt alle kracht aan de oppervlakte.

De derde dag, die al onze voorlaatste was, kreeg Gauvain plotseling een ingeving, alsof hij bij mij een zekere ontgoocheling bespeurde bij het naderen van de maanden dat we elkaar niet zouden zien en bij de gedachte aan wat er moest worden van die liefde die niet helemaal wilde leven maar ook niet echt wilde sterven.

'Ik wil je wat vragen,' zei hij aan het eind van een van die maaltijden die zo geraffineerd zijn dat ze je de illusie geven er intelligenter van te worden. 'Wat zou je ervan vinden als je nog 'n keer bij me zou komen op Mahé? We zijn vlak voor de moesson klaar en in principe heb ik dan wat tijd. 'k Weet dat het heel ver is maar...' Hij slaakte een zucht. 'Ik denk daarginds zoveel aan jou, aan hoe je was, aan wat we samen hebben gedaan... 't Zijn niet dezelfde eilanden zonder jou... In elk geval, als je zou komen zou ik denk ik wat opgewekter vertrekken volgende week.'

'Het is de mooiste herinnering van mijn leven, die tijd op de Seychellen met jou. Maar ik...'

'Ik vind 't vervelend om het te vragen,' gaat Gauvain snel verder zonder me de tijd te geven bezwaren op te werpen, 'want de reis is verschrikkelijk duur, dat weet ik. Maar sinds juli is er een internationaal vliegveld, dat maakt 't gemakkelijker. En we kunnen bij Conan logeren, ken je die nog? Nu de eilanden onafhankelijk zijn, is hij daarginds ontwikkelingswerker. Als je daar eenmaal bent hoef je geen cent meer uit te geven, ik betaal alles. Maar je hebt wel de reis natuurlijk. En als je zou komen,' voegt hij eraan toe, 'weet je dat het onze twintigste verjaardag zou zijn? We zouden dat op de *Raguenès* kunnen vieren, dan zijn we 'n beetje thuis!'

'Na twintig jaar vijftienduizend kilometer afleggen voor het geslachtsorgaan van meneer Lozerech! Echte diamanten zijn duur,' zegt de dueña. Ja, zo duur dat het ineens geen betekenis meer heeft. Ik weet niet meer waar ik aan toe ben, maar Gauvain legt zijn hand over de mijne, een van zijn zware, brede handen die hem ogenschijnlijk in de weg zitten en die niet op hun plaats lijken, behalve aan boord en op mij.

'Het zal inderdaad lastig zijn, het is een reis van vierentwintig uur, nietwaar? Maar als mijn boek goed loopt, zal het misschien lukken, kan ik mijn uitgever om een voorschot vragen. In de zomer gaat Loïc met zijn vader op vakantie, dan ben ik dus helemaal vrij. Luister: ik zal prijzen opvragen, uitzoeken welke charters er zijn, ik hou je op de hoogte...'

Gauvain heeft mijn aarzeling bemerkt.

'Probeer te komen,' zegt hij, 'asjeblieft.' En deze simpele woorden treffen me diep. Hij heeft me alles geboden en me nooit iets gevraagd en hij heeft het nodig dat ik ja zeg, hier, nu. Zijn ontreddering, die zo zelden zichtbaar is, ontroert me. Ik heb de indruk dat ik door van Gauvain te blijven houden, gehoorzaam aan een heel zuiver gevoel, want alleen een waarachtige liefde kan verklaren dat obstakels ons nooit ontmoedigen. Het zou zoveel eenvoudiger zijn geweest als ik hield van een gecultiveerde, elegante man die vrij over zijn tijd kon beschikken, in Parijs woonde en rijk en intelligent was!

Sinds hij mijn belofte hem te komen opzoeken diep in zich heeft opgeborgen, gaan we weer heel gemakkelijk met elkaar om. We keren in de auto terug naar Parijs als een stel dat door het leven zal worden gescheiden, maar dat geen twijfels heeft over de toekomst.

'We gaan er een fantastisch feest van maken voor onze verjaardag,' belooft hij. 'Dat kunnen ze wel daarginds. En we nemen Youn mee, m'n eerste stuurman, als je het goedvindt, hij kent het eiland als z'n broekzak. 'k Heb hem over ons verteld. Hij heeft ook een vriendin in Lorient, een meisje van wie hij al heel lang houdt. Maar zijn vrouw zit in 'n gekkengesticht, dus hij kan niet scheiden.'

Vluchtig, en niet zonder een gevoel van onbehagen, vraag ik me af wat ik zou doen als Lozerech weduwnaar zou worden. Verwaarloosde echtgenotes hebben geen idee hoe bepalend ze kunnen zijn voor een andere liefde, ze vormen een handig alibi voor sommige getrouwde mannen, een borstwering voor anderen, een welkome bescherming voor hen die wanhopig zouden worden van de naakte waarheid. Mede dankzij Marie-Josée, hoe ze is en hoe ze niet is, kan ik van Gauvain houden zonder hem een tweede keer te hoeven kwetsen.

In een auto, vooral een kleine, is het als in een veilige baarmoeder. We hebben ons opgerold, Gauvain en ik, in een van de buitenwereld afgeschermde cel, en het lijkt wel of het landschap om ons heen beweegt. Zoals altijd wanneer we uit elkaar gaan, proberen we onszelf gerust te stellen over die liefde die zelfs tijdens de momenten van het meest intense genot ons niet haar tweeslachtige gezicht laat vergeten.

'Tussen twee haakjes, heb je gezien dat onze hut op het eiland van Raguenès is ingestort? We zouden er ons vandaag de dag niet meer kunnen verschuilen. En dan te bedenken dat we nu misschien niet samen zouden zijn als die muren het niet hadden gehouden!'

'Wat mij betreft stond het geschreven, daar breng je me niet van af,' verkondigt Gauvain die ongetwijfeld op een te hachelijk element leeft om in het toeval te willen geloven.

Verliefde mensen zijn net kinderen: ze krijgen nooit genoeg van dezelfde verhalen. Vertel nog eens over de jongen en het meisje die zich verschuilen op een eiland... En we nemen nog eens die onwaarschijnlijke nacht van 1948 onder de loep die nog niet al zijn geheimen aan ons heeft prijsgegeven. Ik troggel hem opnieuw een beschrijving af van zijn haat-liefdegevoelens voor het kleine meisje van de toeristenburen. Hij vraagt me opnieuw wat ik toch kon zien in de boerenkinkel die hij was, ik van wie hij dacht dat ik een spetterend leven leidde in Parijs, walsend in een avondjapon onder kristallen luchters, zoals in Amerikaanse films, in de armen van een jeune premier met geplakte haren. Ik vertelde hem niet dat ik vree met een puistige en kippige wiskundestudent, op een Marokkaanse sprei die niks was vergeleken bij de aangestampte aarde van onze hut en de geur van ons strand bij eb.

De radio zond 'Dertig jaar Franse chansons' uit en Gauvain zong elk refrein mee. Zeelieden luisteren vaak onder het werk naar de radio – nog iets dat Lozerech op de Seychellen moest missen – en hij kende alle woorden, vooral de ondeugendste, die mooier klonken door zijn diepe stem die niet was veranderd sinds ze me zonder dat ik het wist op de bruiloft van Yvonne een liefdesdrank had toegediend.

Over acht maanden in Victoria, Karedig?

9
STAATOP, FRIJUH MANNUH!

We hebben een moeilijke winter gehad, Sydney en ik. Zijn roman was het fiasco geworden dat hij had gewenst. Maar om verguisde auteurs te bewonderen en hen die geen succes najagen te waarderen, is één ding. Om de onverschilligheid van het publiek te ondervinden en genegeerd te worden door de belangrijke bladen, is een tweede. Daarvoor heb je een krachtige persoonlijkheid en een verachting voor de massa nodig die Sydney niet bezat. En dan heb ik het nog niet eens over een minimum aan welstand, dat hij sinds zijn vertrek uit de Verenigde Staten moest ontberen.

Mijn twee boeken daarentegen hadden een onverhoopt succes gehad voor historische werken die in gespecialiseerde fondsen worden uitgegeven, en onze betrekkingen waren er op een subtiele manier door veranderd. Ik boeide hem meer naarmate minder mensen door hem werden geboeid, hoewel hij mijn literatuur als 'broodschrijverij' bleef beschouwen. Op een bepaalde leeftijd – en Sydney was zojuist de vijftig gepasseerd – geurt het brood met een zekere adeldom!

Ik heb vaak aan Gauvain gedacht dat jaar. Een marineblauwe pet op een zeemanshoofd in een haven, een Bretons accent om de hoek van een straat in Concarneau, de bezoekjes aan mevrouw Lozerech die stilletjes wegteerde in haar verlaten boerderij – al haar kinderen waren ver weg, zeemannen of onderwijzers – en er welde een golf van tederheid in me op voor het jongetje dat mijn banden lek stak en dat mij George Zonderes noemde. Ik leek op een vrouw die met een gevangene is getrouwd en die het leven op een laag pitje heeft gezet in afwachting van zijn terugkomst.

's Nachts, naast Sydney, droomde ik over een ander. Zo vermaken geslachten die zich vervelen zich ermee buitengewone geneugten te verzinnen. Ach, die lieve onderlijven! Soms wordt het nog werkelijkheid ook.

Ik begon mijn reis voor te bereiden. Was het een gevolg van mijn leeftijd? Ik had niet alleen de drang naar de Seychellen te gaan om Gauvain te zien, maar ook om met verliefde blikken bekeken te worden. Mijn huid werd perkament, zo ver van zijn vochtige blik. Ik zag ook dat mijn moeder, ondanks haar voortdurende gevecht, stukje bij beetje moest zwichten voor de tijd, hem terrein moest prijsgeven evenals bezigheden waarvan ze hield en waarvan ze nu deed of ze haar niet meer interesseerden om haar nederlaag niet toe te geven. Zo komt er een leeftijd waarop de gebieden die je hebt prijsgegeven niet meer heroverd zullen worden. Mama bereidde me er al op voor, met de levenslust die ik altijd in haar had gewaardeerd.

'Besef goed wat je verliest als je hem opgeeft, je "Bretonse vriend",' zoals ze hem fijntjes noemde. 'Hartstocht is onvervangbaar. Met intellect kun je het lichaam niet voeden... Het tragische is dat vrouwen als wij aan beide behoefte hebben,' besloot ze quasi bedroefd. Ik moet toegeven dat ze nooit erg dol was geweest op Sydney.

Ik had François en Luce overgehaald zich in de derde week op de Seychellen bij me te voegen, als de gezondheid van Luce het toeliet, en we zouden samen naar Frankrijk terugkeren. Ik had zo hoog opgegeven van de schoonheid van deze eilanden, dat ze slechts op een gelegenheid wachtten er eens heen te gaan. Maar Luce was onlangs geopereerd en was onder chemotherapeutische behandeling. Ze was zo moedig en optimistisch dat we hoopten dat haar remissie een werkelijke genezing zou zijn.

Toen ik eindelijk op Mahé aankwam, vierden ook de Seychellers hun verjaardag, de eerste van hun onafhankelijkheid, en de algemene vreugde verhoogde de onze. We voelden ons als een oud stel omdat we iets te herdenken hadden en omdat we op dezelfde plaatsen terugkeerden. 'Weet je nog toen die scolopender me beet?...' 'En die twee rare stellen op Praslin met hun dubbele kokosnoot!' Geliefden die aan zichzelf twijfelen stellen zich gerust met 'weet je nog'.

De eerste avond hebben we gedanst in de straten onder de palmen en in alle kroegjes en restaurants van de stad. Het Britse stempel, dat officieel was uitgewist, was nog duidelijk aanwezig: om middernacht zetten de muzikanten, even stijf als in de tijd dat ze *God save the Queen* moesten spelen, in de houding hun gloednieuwe volkslied in:

> *Staatop frijuh mannuh, fieruh Seychellers*
> *Gelijkheid foor onsalluh*
> *Frijheid foor alluh tijduh!*

Ook Frankrijk, met zijn revolutie en zijn stoet grootse principes, had zijn sporen nagelaten.

Mijn eigen volkslied zong ik vooralsnog voor Gauvain... Het 'Sta op vrijmans, fiere Concarnois' voegde die avond een schuine noot toe aan de vaderlandslievende koren.

Ons feest eindigde bij zonsopgang in de lauwe oceaan, maar we speelden niet de twee schuchteren, deze keer. Alleen als je twintig bent kun je je veroorloven ergens van af te zien.

Is het nodig deze dagen te beschrijven, waarvan we nachten

maakten als het regende? *'O, spaar ons!' zegt de dueña. 'We hebben al een nummertje Seychellen gehad, dat is genoeg! En als seks niet meer opwindend is, wordt het weerzinwekkend. Er is geen tussenweg.'*

De derde dag is er een adertje in Gauvains linkeroog gesprongen. Hij heeft er geen last van, maar elke keer als ik hem aankijk verwijt ik mezelf dat ik een vampier ben die haar mannetje een ooginfarct heeft bezorgd door te veel van hem te verlangen! En toch ga ik door. Mijn starter staat altijd op scherp. De motor hapert wel eens maar slaat nooit af. Net zoals groene vingers bevorderlijk zijn voor planten, zijn de donker behaarde vingers van Gauvain bevorderlijk voor mijn lichaam en laten ze me telkens weer nieuwe erogene zones ontdekken. Sommige zijn van voorbijgaande aard, die zie ik nooit weer terug; andere duiken met tussenpozen op; en dan zijn er de trouwe, als noten op muziekpapier die altijd dezelfde muziek produceren. Maar zelfs als Gauvain het me vraagt, ben ik niet in staat de vlottende grenzen te beschrijven, zo bekaf ben ik van genietingen die misschien niet allemaal de naam orgasme waardig zijn in het merknamenregister van Ellen Price.

'Je vertelt me niet alles wat je lekker vindt,' hield Gauvain aan. 'Er zijn nog dingen die je me niet durft te vragen.'

'Vrijwel niets, wees maar niet bezorgd. En van dat ''vrijwel niets'' geniet ik volop. Anders... anders zou je mij zijn! Wat afschuwelijk!'

'Maar ik weet meestal niet precies wanneer je klaarkomt. Dat vind ik vervelend. 'k Vraag me af...'

'Je moet JEZELF niets afvragen, vraag het MIJ. Seks is uiteindelijk niet zo seksueel als wordt gezegd. Niemand als jij geeft me... genot natuurlijk, maar vooral het gevoel van de heiligheid in het genot.'

Ik durf deze woorden nauwelijks uit te spreken. Maar het is donker en Gauvain protesteert niet. Hij is niet bang voor diepzinnigheden. En ik ben nergens meer bang voor met deze man. Ik laat mijn fantasie de vrije loop, ik zing of dans in zijn bijzijn alsof ik alleen was. Ik loop rond in kleren die ik zorgvuldig zal moeten verstoppen als ik naar het gewone leven terugkeer. Ik draag een soepel satijnen hemdje, type 'scheur dat van me af', waarover ik in de burgermaatschappij niet zou hebben gepeinsd om te kopen. O, middelen die ik afkeur of minacht! Wat is het heerlijk jullie te gebruiken... en er zoveel heilzaams aan te beleven!

Ik heb me zelfs als echtgenote gedragen door voor het eerst met Gauvain mee aan boord te gaan, zijn hut te bekijken, te zien waar hij sliep, waar hij zijn foto's van mij en mijn brieven verborg. En ik stond op de kade toen de *Raguenès* wegvoer, ik wuifde met mijn hand, daarna met mijn arm, rende daarna langs de kade terwijl zijn dierbare gestalte steeds kleiner werd en de mannen die hun handen vrij hadden en zich aan dek hadden verzameld, de vaste wal zagen verdwijnen, zoals in alle havens van de wereld. En mijn ogen vulden zich met tranen zoals bij alle vrouwen van de wereld die hun zeeman zien vertrekken.

Gelukkig waren François en Luce de vorige dag aangekomen en hadden we onze laatste avond met z'n vieren doorgebracht in de buurt van de haven. Gauvain voelde zich op zijn gemak bij hen en ik was hun dankbaar dat ze hem niet beschouwden als een 'wilde broeder', maar gewoon als een van ons met kennis van andere zaken. Een Eskimo of een Turk wordt met respect aangekeken als hij zijn levenswijze beschrijft, maar de paar vrienden aan wie ik Lozerech had voorgesteld, hadden hun geringschatting nauwelijks onder stoelen of banken kunnen steken toen ze hem over de zee hoorden spreken. Hij was tegelijkertijd te komisch door zijn accent en te nabij in geografisch opzicht om de nieuwsgierigheid van de Parijzenaren te kunnen opwekken. En bovendien lagen de tijden van Pierre Loti achter ons. Mijn broer Yves, dat werkte op de lachspieren.

Maar François trok zich niets aan van de couleur locale en keek naar de geestelijke kwaliteiten. We voelden ons die avond vier vrienden en Gauvain was niet meer 'dat wonderlijke type dat je op een boerderij hebt opgescharreld...'

We hadden beloofd elkaar via Conan te schrijven, ondanks dat hij telkens weken zou moeten wachten voor hij me weer een brief kon sturen of de mijne in ontvangst kon nemen. De zee ontnam hem ook dat plezier, de meest alledaagse en gangbare vorm van troost, om elkaar een teken van leven te geven, een geliefde stem over de telefoon te horen, dat plezier waaraan alle mensen deel hebben, zelfs gevangenen.

Al in zijn eerste brief biechtte hij op wat hij me op Mahé niet had willen vertellen: hij ging niet door met de tonijn op de Seychellen. Hij zou het bewuste geheimzinnige Zuidafrikaanse plan ten uitvoer gaan brengen. Hij hoefde nog maar 'drie of vier jaar uit te zitten', dat was geen eeuwigheid!

Dat soort mensen die geen veertigurige werkweek kennen, of feestdagen, of weekends, hebben beslist niet hetzelfde tijdsbesef als wij. Drie jaar uitzitten leek mij eindeloos en van die vluchtelingenliefde die altijd naar de achtergrond werd gedrongen en na het gezin en het werk kwam, nauwelijks herrezen en alweer koud gemaakt, begon ik moedeloos te worden. Vooral doordat ik me intensief bezighield met een groot project: die Geschiedenis van de Geneeskunde en de Vrouw die François samen met mij wilde schrijven, ging vorm aannemen. Als gynaecoloog en obstetricus zou hij van onschatbare waarde voor me zijn. Mijn dagelijkse leven liep op rolletjes. Ik kon het geld dat ik verdiende vrijelijk uitgeven, vrienden zien, reizen, in een appartement wonen dat me aanstond... ik mat de kloof die mijn bestaan scheidde van dat van een Lozerech. Hij zou pas als hij oud was plezier hebben van het geld dat hij zo moeizaam had verdiend, van het mooie huis waarin hij maar zo weinig zou hebben gewoond en waar hij pas voorgoed zijn intrek zou nemen op een leeftijd dat hij definitief zou hebben afgeleerd op de vaste wal te leven.

Zo werd Gauvain ondanks onze maandelijkse brieven een schim aan de horizon. Ik probeerde serieus me van hem los te maken. Maar het hart heeft zijn eigen trouw... Na verloop van tijd bleek ik me van Sydney te hebben losgemaakt! Zijn hele santekraam interesseerde me al nauwelijks meer, alsof het op de schroothoop had thuisgehoord. Ik had de fatale gewoonte aangenomen mijn twee mannen te vergelijken en ik werd me ervan bewust dat Sydney nooit mijn lichaam als iets unieks had beschouwd, noch mij als een onvervangbare vrouw. Terecht trouwens. Ik gaf hem volkomen gelijk, maar ik had het voorrecht gehad iemand te kennen die gek van me was en ik kon niet goed meer wennen aan redelijke gevoelens.

Tijdens de eerste jaren in de Verenigde Staten had ik me gevleid gevoeld in erotisch opzicht bij de intellectuele avant-garde te horen. Ik dacht toen nog dat er in de liefde zoiets als avant-garde bestond! Met Ellen Price en Al en al onze vrienden die therapeuten en seksopeuten en analytici en seksanalytici waren, hadden we briljante discussies over liefde en genot, maar dat hielp ons niet zoveel in de praktijk. Al was na het boek van Ellen impotent geworden, behalve bij prostituées. Dat was zijn antwoord aan zijn herderinnetje. Sydney was juist in een versnelling geraakt, maar wel op een appassionato manier. Dat gemak van de dilettant, dat ik zo had benijd, vond ik nu eerder een tekortkoming dan een elegantie.

Ik ging bij mezelf na hoezeer in het leven met een ander alles een kwestie van standpunt is: hetzelfde gebaar kan je irriteren of vertederen, al naar gelang je een reden zoekt met iemand te leven of hem te verlaten. Voortaan ergerde die hele Sydney me.

Om verschillende redenen zou hij nu graag met me zijn getrouwd, terwijl mij juist alle lust daartoe was vergaan. Alleen het idee al op mijn leeftijd nog een Amerikaanse naam te krijgen! En dan de toewijding tijdens de naderende jaren van ouderdom die bij de huwelijkskoop zit inbegrepen, ik moest er niet aan denken. Toch was Syd nog nooit zo teder, zo vurig geweest. Je loopt zelden tegelijkertijd in dezelfde pas, als stel.

Soms is een wreed detail voldoende om op een dag te ontdekken dat alles voorbij is. Voor mij was dat de avond waarop Sydney me na de liefde in mijn ogen keek en vol dankbaarheid zei: 'Wat een tederheid lees ik in je blik!' In feite had ik de hele tijd gedacht aan een paar schoenen die ik de vorige dag in een etalage had zien staan en die ik tot mijn spijt niet had gekocht. Ik had zojuist besloten ze straks aan te schaffen, zodra ik met goed fatsoen dit bed uit kon!

Zo gebeurde het dus dat ik me in een jaar tijd min of meer losmaakte van mijn twee mannen. Helemaal van Sydney, omdat hij terug moest naar Amerika. Minder van Gauvain, omdat het feit dat we elkaar niet zagen ons nooit helemaal klein had gekregen. Maar ik wilde graag leven zonder over het onmogelijke te dromen. Als je over de veertig bent, wacht je niet elf van de twaalf maanden op iemand die je niet ziet.

Kwam ik op de melancholische leeftijd dat vriendschap leefbaarder en kostbaarder lijkt dan liefde?

10
THE ROARING FIFTIES

Ik ga met steeds grotere stappen op de vijftig af, een periode waarin verrassingen alleen maar onaangenaam kunnen zijn. Het beste waarop je dan kunt hopen is de status quo. De tekenen van aftakeling die je hier en daar waarneemt, lijken in het begin niet zo belangrijk, maar, omdat het de eerste zijn, word je verontwaardigd of terneergeslagen. Toch zul je op een dag naar die rimpeltjes bij je ogen, die kleine, gemakkelijk te maskeren onvolkomenheden van je lichaam, terugverlangen wanneer er nog ergere bij komen. Voortaan zul je ieder jaar als je een foto van de vorige zomer bekijkt, denken: Tjonge! Vorig jaar zag ik er nog hartstikke goed uit! En over twee jaar zul je merken dat je er het jaar daarvoor nog hartstikke goed uitzag. Welnu, zo ver ben ik dan, in dat 'jaar daarvoor', waar ik later ook weer naar zal terugverlangen. De enige oplossing waarmee te leven valt is voortaan je best doen om het heden te waarderen in het licht van een nog zorgwekkender toekomst!

Ik heb mijn aalscholver in die drie jaar heel weinig gezien en ik heb mijn best gedaan ook aan hem te denken in het licht van onze onmogelijke toekomst. De natuur, de mijne in ieder geval, is barmhartig: wanneer je niet meer verlangt, ik bedoel wanneer het object van je verlangen weg is, wordt het bijna onvoorstelbaar dat je iemand zo vurig kunt hebben begeerd.

Ik heb Gauvain noodgedwongen weinig gezien want hij had zijn mysterieuze plan uitgevoerd. Hij was nooit gewend geraakt aan de Seychellen met dat al te lieflijke landschap dat niet bij zijn woeste karakter paste. Tegenwoordig verblijft hij acht maanden per jaar, van oktober tot mei, op een zandplaat vijfhonderd mijl vanaf Kaap de Goede Hoop. Het is geen land, het is zelfs geen eiland, alleen maar een abstract punt waar de $31°\,40'$ zuiderbreedte en de $8°\,18'$ oosterlengte elkaar snijden, drie dagen varen vanaf het dichtstbijzijnde vasteland, binnen het bereik van de enorme golven van de roaring fourties. Zijn wereld is beperkt tot een koraalrif van zes mijl breed, tot een smal vulkanisch plateau dat ineens, op honderd meter van de oppervlakte, oprijst uit diepten van vijfduizend meter, en bewoond wordt door miljoenen langoesten. Opdat ik hem kan lokaliseren, heeft hij voor hij vertrok zijn schip, de *Empire des Mers*, een oude tonijnvissersboot van achtentwintig meter, op een zeekaart getekend, een nietig levensteken, verdwaald in al het blauw van dat gebied waar geen land boven water uitsteekt.

Zijn neef Youn, een van die mannen uit Douarnenez die van vader op zoon in langoesten zijn gespecialiseerd, had een paar jaar eerder die fabuleuze vindplaats ontdekt en had besloten daar te gaan vissen, dat wil zeggen daar te gaan leven. Maar door een halswervelfractuur tengevolge van een val aan boord waar hij nooit helemaal van hersteld was, kon hij er niet mee doorgaan en was hij gedwongen een soortgelijke piraat te vragen hem op te volgen bij het exploiteren van deze goudmijn. Weinig mensen zouden erop in zijn gegaan maar Lozerech was altijd te vinden voor het onmogelijke. Hij beschouwde het als een gelegenheid om de heftige emoties uit zijn jeugd nog eens te ervaren en zijn carrière waardig te beëindigen. Misschien ook om tussen hem en mij nog een extra hindernis te plaatsen. Omdat hij zijn gevoel niet kon onderdrukken, koos hij ervoor de afstand te vergroten. Want hij had een nieuwe reden gevonden om zichzelf te straffen: ook zijn vrouw Marie-Josée was net aan kanker geopereerd. Ze hadden bij haar 'alles weggenomen' zoals ze enigszins provocerend zei, waarbij ze waarschijnlijk met bitterheid besefte dat ze door deze formulering werd gereduceerd tot iemand die alleen een baarmoeder was geweest. Maar wat van haar overbleef was nog steeds de vrouw van Lozerech en zijn schuldgevoel was er nog groter door geworden.

Wat mij betreft, mijn boek over *Geneeskunde en de Vrouw* was eindelijk verschenen. We hadden er drie jaar aan gewerkt, François en ik, naast onze andere bezigheden, drie jaren van intensief werken die nu ten einde waren, wat een vreemd gevoel van leegte bij ons achterliet. We hebben het even geweten aan het feit dat we niet meer wisten wat te doen met al die vrije tijd en daarna kwam de waarheid aan het licht: we misten niet het werk maar de bijna dagelijkse aanwezigheid van de partner die we jarenlang voor elkaar geweest waren. We konden ons maar één oplossing voorstellen: onder één dak wonen! Die mogelijkheid was er, aangezien François alleen was, nu Luce, zijn vrouw, dood was en hij met een dochter van vijftien jaar was achtergebleven. Ik zag hoe ontreddlerd hij door het leven ging te midden van zijn bevallingen, het onderwijs dat hij in het ziekenhuis moest geven, de tiener die hij moest opvoeden en zijn verdriet over het verlies van een opmerkelijke vrouw van wie hij heel veel had gehouden.

Het kan een heerlijk avontuur zijn samen iets te beginnen uit liefdevolle genegenheid, wanneer je al een 'huwelijk voor het leven' en een zogenoemde vleselijke hartstocht achter de rug hebt. In dit stadium van het leven is liefde alles, zeker, en tegelijkertijd is het niet alles meer! Deze absurde formulering geeft aardig weer welke mengeling van enthousiasme en onbezonnenheid ten grondslag lag aan onze beslissing te gaan trouwen.

Ik kreeg niet de indruk dat ik aan een nieuwe fase begon of een bovenmatig risico nam: in zekere zin had François altijd al deel uitgemaakt van de familie, alleen nu ging hij er meer officieel bij horen. Verschillende keren in ons leven had het niet veel gescheeld of we waren serieus verliefd op elkaar geworden en iedere keer was er net iets tussen gekomen. In 1950 was ik waarschijnlijk met hem getrouwd als hij niet, midden in zijn studie medicijnen, naar het sanatorium in Saint-Hilaire-du-Touvet had hoeven gaan, waar hij twee jaar was gebleven. Toen hij eindelijk terugkwam, was ik met Jean-Christophe getrouwd. Toen ik van Jean-Christophe was gescheiden, was hij net met Luce getrouwd. En toen Luce vijf jaar later op het punt stond bij hem weg te gaan, woonde ik met Sydney in de Verenigde Staten!

Deze keer waren we alleen en vrij en ook goed gezond, die gelegenheid moesten we aangrijpen. Was ik met François getrouwd toen ik twintig was, dan was Lozerech ongetwijfeld uit mijn leven, zo niet uit mijn geheugen verdwenen. Maar bij Jean-Christophe was altijd een deel van mijn vermogen op liefdesgebied onvervuld gebleven en waren mijn meisjesdromen intact gebleven. Zo spreiden sommige mannen zelf het bed voor hun rivalen.

François was bovendien een zeldzaam exemplaar: zo'n interessante man die toch niet helemaal tot zijn recht komt. Hij had alles in zich om een voortreffelijk docent te worden, een uitstekend dichter, een verdienstelijk schilder, een talentvol pianist, een onweerstaanbaar verleider en eigenlijk was hij dat ook allemaal, maar door minuscule zwakke plekjes in zijn karakter ofwel een reeks toevalligheden was het werkelijke succes altijd uitgebleven. Zo te zien met zijn volledige instemming.

Hij ging door het leven met een aantrekkelijk uiterlijk zonder echt mooi te zijn, en met een aangeboren charme en elegantie die door juist genoeg nonchalance en verlegenheid werden getemperd zodat zijn vele talenten hem vergeven werden en hij in zijn jeugd de bijnaam Jantje de Professor kreeg. Een jeugd die hij trouwens niet achter zich had gelaten hoewel hij de vijftig was gepasseerd en hij vele beproevingen had gekend, want hij bleef overal enthousiast over: de pasgeboren baby's die hij nog steeds graag ter wereld hielp alsof ieder op zich de hele wereld voor hem betekende, zijn vrienden, zijn dochter Marie, zijn reizen, de muziek en, op de laatste plaats, ons huwelijk aangezien dat hem iets normaals leek en het universum in zijn ogen ondanks ziekte en dood in wezen mooi was. Hij hield van het leven maar hij hield ook van de mensen, wat minder vaak voorkomt, en hij hield zelfs van mijn avontuur met Lozerech, die hij de bijnaam 'Kapitein Aalscholver' had gegeven, ter herinnering aan de meisjesboeken en de Corcoran uit onze jeugd. Hij gaf de voorkeur aan de jongensboeken.

Ik had de zeekaart die Gauvain me voor zijn vertrek had gegeven in mijn werkkamer opgehangen en elke keer als ik naar dat kleine bootje keek, dat hij zorgvuldig en precies zoals hij alles deed, had getekend, met zijn laadboom, zijn achtermast en zijn kleine bruine zeiltje, werd ik droevig. Mijn aalscholver zat daar ver weg met zijn bemanning van acht kerels, en zevenhonderd kreeftenfuiken die iedere dag aan boord gehesen, leeggemaakt, opnieuw van aas voorzien en weer te water gelaten moesten worden, aan lijnen van veertig tot tachtig meter lang, op een bodem waar het krioelde van octopussen en reuzenmurenen, midden in een oceaan met eeuwigdurende golfbewegingen die, op die hoogte van de wereldbol, om de aarde heen kunnen razen zonder een obstakel tegen te komen dat hun kracht breekt. Zo althans stelde ik het me voor op grond van de boeken die zeevaarders over deze onzalige gebieden hadden geschreven en op grond van het logboek dat hij me regelmatig toestuurde.

Tijdens de lange periodes dat Gauvain weg was, had ik Marie-Josée een paar keer opgezocht na haar operatie, met het duistere verlangen iets van hem op te snuiven. Maar toen ik de vrouw van Lozerech en zijn huis zag, werd me juist des te duidelijker hoe groot de afstand was die ons scheidde, zowel te land als ter zee. Ik kon maar niet geloven dat ik 'de andere vrouw' was van die man

die de rest van zijn leven in deze zielloze omgeving zou doorbrengen, zijn maaltijden zou gebruiken in de 'massief rustieke' keuken, zoals Marie-Josée met trots benadrukte, waarbij ze voorbijging aan het feit dat ze bij haar ouders en bij de ouders van haar
man echte rustieke meubels had achtergelaten, die ze beschouwde als oude rommel die erop duidde dat je onderontwikkeld was.
'Mijn' Gauvain zou in bed liggen naast deze grijzende vrouw die
altijd een beetje naar zweet rook, onder die gestikte deken van
oudroze satijn, zou in slaap vallen onder zijn eigen trouwfoto en
de portretten van de vier ouders in ovale lijsten met een palmtak
erboven, tegenover de uit een catalogus gekochte en doodgelakte
commode in Lodewijk-xv-stijl, die opgevrolijkt werd door vijf
heidetakjes van zilverkleurig plastic en drie paarse tulpen, in een
vaas van Arques-kristal met facetten.

Maar waarom zou ik proberen Lozerech en Gauvain tot een en
dezelfde persoon te maken? Ik ben ook niet precies dezelfde als
die vrouw die zo vaak naar het andere eind van de aardbol vertrokken is, met de dueña op haar hielen, op zoek naar die mysterieuze huivering die op niets gebaseerd is dat menselijke woorden
kunnen weergeven. We hebben allemaal zo onze facetten, net als
de vaas van Marie-Josée.

Tijdens de eerste twee jaar die hij daar doorbracht – hij was van
plan er vier jaar te blijven – had Lozerech meer geld verdiend dan
in zijn hele leven misschien. Zodra zijn enorme viskaren vol waren, zette hij koers naar De Kaap en loste daar zijn tonnen mon-
sters die levend naar een zeevisgrossier in Lorient werden vervoerd.

Hij 'leefde' niet meer, in de betekenis die je doorgaans aan dat
woord geeft. Hij peilde de diepten, controleerde de lijnen, probeerde niet gek te worden in dat schuimende landschap en hij
wachtte op de dag dat hij met pensioen zou gaan.

De langoesten hadden het leven van zijn gezin veranderd. Hij
kon nu een stuk aan zijn huis laten bouwen en zijn oudste zoon,
die zijn doctoraal scheikunde had, voor twee jaar naar de Ver-

enigde Staten sturen. Joël had een eigen auto, een Eend die speciaal was aangepast voor een invalide. Zijn ene dochter gaf les in Rennes, de andere was stewardess. Marie-Josée had zich vooraan in haar mond drie geheel gouden tanden laten aanmeten. Kortom, iedereen mocht blij zijn met de langoesten.

Ik had lang geaarzeld of ik hem zou vertellen dat ik ging hertrouwen, met François, maar ik vond het nog erger als hij het van zijn vrouw hoorde. Ik wist dat hij het als een soort verraad zou beschouwen hoewel ook hij gekozen had voor de afstand. Hij schreef me trouwens al een tijdje niet meer, zonder dat ik kon uitmaken of het uit persoonlijke rancune was of uit discretie tegenover François die hij graag mocht.

Misschien was het bij mij ook uit discretie tegenover François, hoewel ik op dat gebied niet veel last had van dergelijke gevoelens, dat ik me aanwende om aan Gauvain te denken in de verleden tijd.

Toen gebeurde er iets dat alles op losse schroeven zette: mijn moeder overleed, aangereden door een bestelwagen op de hoek van een Parijse boulevard. Mama was altijd overgestoken zoals in de tijd van de postkoetsen, zonder rekening te houden met stoplichten en oversteekplaatsen, met een arm autoritair omhooggestoken om de koetsiers te gelasten vaart te minderen. De chauffeur echter had zijn paardekrachten niet tot stilstand kunnen brengen en mijn moeder, die over de weg werd meegesleurd door de bestelwagen, overleed een paar dagen later aan haar vele fracturen, volkomen gechoqueerd door de slechte opvoeding van de bestuurders van tegenwoordig. Ze was achtenzestig jaar, ongehoord gezond en van plan nog een flink stuk verder te leven, zodat ik de gedachte dat ze ooit niet meer op dezelfde planeet zou leven als ik, altijd voor me uitschoof. Terwijl ik naast haar zwijgende gestalte zat tijdens de laatste dagen dat ze in coma lag, ontdekte ik met afschuw dat ik nooit meer, zolang als ik leefde, dat simpele zinnetje zou kunnen zeggen: 'Hallo! Mama?' Met haar verdween het eerste woord dat ik kende, het woord dat de basis was van mijn zekerheid in het leven. Dat is het eerste, soms het enige verraad van een moeder, je zomaar onverwachts te verlaten.

Iedere keer dat François het had over 'je mama', kreeg ik tranen in mijn ogen. Voortaan vermeed ik dat woord.

Ik had Gauvain geschreven om hem te vertellen dat mijn moeder was overleden. Met hem kon ik praten: ze had hem zo vaak aan zijn oren getrokken met de woorden 'kleine schooier', dat hij na zoveel jaar een zekere genegenheid voor haar voelde.

Dit verlies dwong me de balans op te maken van wat voor mij telde: ik had op aarde nog één wezen dat onvoorwaardelijk van me hield en die zou ik nu ook kwijtraken zonder er iets tegen te doen, want de dag van zijn pensioen zou het einde betekenen van ieder plannetje tussen ons. Plotseling kon ik niet meer tegen de gedachte dat hij ook een plaatsje zou krijgen in mijn verzameling herinneringen. Ondanks de harmonieuze verstandhouding tussen François en mij, voelde ik dat ze nog steeds in leven was, de dwaze meid die zich naar het eiland haastte, naar de eilanden aan het andere eind van de wereld, om die 'vlam' weer te zien die maakte dat de liefde op het tegendeel van de dood leek. En ik wist dat mijn moeder het ermee eens zou zijn geweest dat ik leefde voor twee. Ook zij had last van levenshonger en was niet van plan op welk gebied dan ook iets mis te lopen. Soms moet je anderen ontrouw kunnen zijn om jezelf niet ontrouw te zijn: dat was een van haar principes.

De omstandigheden boden me een ideale gelegenheid: al twee jaar lang bracht ik iedere herfst een maand in Québec door voor een serie colleges aan de universiteit van Montréal en ik kon daar voor de duur van mijn verblijf beschikken over een appartementje waar ik probleemloos iemand kon onderbrengen. Ik was er het jaar daarvoor heen gegaan met Loïc die voor de televisie regisseerde en voor Radio Canada werkte. Het moeilijkste zou zijn om Gauvain over te halen, hem zover te krijgen dat hij zou durven liegen tegen een echtgenote die, met recht, zeurderig en wantrouwig was. Voor een zeeman, die al zo vaak van huis is, is het onvoorstelbaar dat je je vrije tijd, en helemaal je pensioen, ergens anders dan thuis zou doorbrengen.

Ik schreef hem hoe de dood van mijn moeder een bepaalde wending aan mijn gedachten had gegeven en terwijl ik die aan hem uitlegde, besefte ik waarschijnlijk dat ik er dringend behoefte aan had hem weer te zien. Ik stelde alles in het werk om bij hem de wond van de liefde weer open te maken. Ik kende hem nu goed genoeg om te weten waar ik het mes in zijn pantser moest zetten en het lemmet ronddraaien tot ook hij niets anders verlangde dan mij tegen zich aan te houden en zich nogmaals over te geven aan die roes die hem het begrip van goed en kwaad deed verliezen.

Dat ik hem nodig zou kunnen hebben in deze moeilijke tijd bracht hem van zijn stuk. Onze brieven die begonnen op nostalgische toon, werden langzamerhand steeds inniger en doordat het ene woord het andere uitlokte, werden ze algauw zo hartstochtelijk dat het ons onmenselijk leek de toekomst tegemoet te zien zonder dat we nog een keer zo'n tijdloos moment zouden beleven dat ons leven een dimensie had gegeven die we niet konden definiëren maar die, naar we vermoedden, essentieel was.

Elkaar schrijven over de liefde is op zich al een genot, een verfijnde kunst. Elke brief, elk spaarzaam telefoontje van hem, elk ik hou van je, leek me een overwinning op de krachten van de ouderdom en de dood.

Gauvain zowel lichamelijk als gevoelsmatig tot de juiste graad van erectie te brengen om hem te laten geloven dat hij zelf het initiatief nam voor een volgende ontmoeting, was een waar genoegen. Bij hem werd wat hij te kort kwam aan talent goed gemaakt door de intensiteit van zijn gevoel voor mij. Hij die alleen maar wilde geloven in de plicht en de waardigheid van hard werken, vond om mij te schrijven opeens dichterlijke woorden. Hij noemde me 'zijn adem', 'zijn leven', 'zijn waarheid'.

Zes maanden na de dood van mijn moeder hadden we besloten elkaar de volgende herfst in Montréal te ontmoeten, vlak voordat hij vertrok voor de wintercampagne. Hij kon zich niet langer verschuilen achter de noodzaak om zuinig te zijn: hij verdiende toch genoeg om zonder al te veel wroeging het geld voor een reis naar Canada uit zijn portefeuille te trekken.

Zonder het toe te geven, begon hij ook op te zien tegen zijn terugkeer naar de wereld van de landrotten, omdat hij wel wist dat een gepensioneerde zeeman in die wereld niets te doen weet en algauw een oude man wordt. Uit die vrees putte hij de moed om tegen zijn vrouw te liegen, waarbij hij haar zo'n onverwachte verklaring gaf dat Marie-Josée niet wist wat ze daarop moest zeggen: hij ging 'een tocht maken' door het hoge Noorden van Canada, want een vriend uit Québec die hij op De Kaap was tegengekomen had hem bij zich thuis uitgenodigd! Een ongelofelijke smoes wordt vaak nog eerder geaccepteerd dan een geloofwaardig, moeizaam verzonnen alibi.

Het plan werd verder op poten gezet. Ik was gelukkig met François maar vanaf dat moment ging mijn geluk gepaard met een gevoel van kinderlijke vreugde. Het leven kreeg zijn romantische kleur weer terug en ik voelde me twintig jaar jonger worden.

Het klinkt paradoxaal, maar sinds hij in Zuid-Afrika werkte, deelde ik de dagelijkse emoties van Gauvain meer dan vroeger. Hij had namelijk de gewoonte aangenomen me bijna iedere avond een paar regels te schrijven, nadat hij zich voor de nacht had vastgemaakt aan zijn meerboei, in een hoek van het rif waar de zee iets minder tekeerging. Hij schreef zijn verslag van de gebeurtenissen van de dag zodra het weer, dat doorgaans slecht was, 'handzaam' werd zoals hij zei, want 'mooi' kon hij het niet noemen. En iedere keer dat hij De Kaap aandeed, stuurde hij me een pak geruite blaadjes.

Gaandeweg was die blocnote uit Zuid-Afrika een opmerkelijk document geworden dat, zonder kunstzinnigheid maar ook zonder kunstmatigheid, een verslag gaf van zijn dagen in de hel op dat koraalrif dat hij zelf alleen als zijn werkplek zag, zijn openluchtmijn als het ware. Juist de soberheid maakte het zo waardevol, die afstand tussen de eenvoud van de woorden, de bescheiden toon, en het geweld van de elementen: de eenzaamheid waarvan je voelde dat ze zwaar viel, de alomtegenwoordige vermoeidheid, de stormen die nog eens boven op het chronisch slechte weer kwamen, de verwondingen, de gruwelscènes ook, als een van de mannen genoodzaakt was in een duikerpak tot onder in de viskaren af te dalen, dwars door de krioelende schaaldieren, om de dode beesten weg te halen die anders misschien de rest van de lading hadden aangestoken. Het resultaat was een hartverscheurende tekst die niet had misstaan in mijn Historisch Tijdschrift of zelfs in de serie *Terre des Hommes*. François, aan wie ik de mooiste passages voorlas, had het hem voorgesteld toen hij weer eens in Frankrijk was, maar hij moest erom lachen en weigerde zo'n 'zot' idee te overwegen.

Toen ik hem zes maanden later terugzag, op een vliegveld zoals gewoonlijk, werd ik getroffen door zijn uiterlijk. Vijftig jaar zo'n hard leven leiden begon zijn sporen na te laten. Lozerech leek me eerder getaand dan gebruind, eerder gegroefd dan gerimpeld, eerder stram dan sterk. Stijf in zijn pantser van spieren, was hij gaan lijken op zijn langoesten. Wat bleef, waren zijn ogen als helder water, die indruk van kracht die er van hem uitging en ook een aandoenlijke zelfverzekerdheid die ik niet van hem kende en die voortkwam uit zijn materiële succes.

Ik had een beetje angstig naar dit verblijf uitgekeken, aangezien de totale zorgeloosheid uit mijn jeugd me niet meer op zijn plaats leek. Gauvain had zich op den duur een gesublimeerd beeld van me gevormd en het leek me van levensbelang daaraan te beantwoorden. Ik wilde me wel van zijn liefde onthouden maar die niet kwijtraken! Maar ja, als je de vijfenveertig bent gepasseerd, zie je er gauw slecht uit. Door een maand van colleges en besprekingen was ik er niet veel fraaier op geworden, te meer daar dat houthakkersvolk er een handje van heeft je stelselmatig in mootjes te hakken en uit te zuigen. Hier zijn de studenten leergieriger en meer geneigd tot discussiëren dan in Frankrijk, minder eerbiedig ook, familiairder en ook veeleisender, zoals de Amerikanen. Je moet je helemaal geven om bij hen in de smaak te vallen en te rechtvaardigen dat men je van zo ver laat overkomen. Het oude Europa heeft niet genoeg prestige om zonder meer belangstelling te wekken. Met mijn aanleg voor het organiseren van galafeesten waar François altijd de spot mee had gedreven, heb ik dus alles met zorg gepland als een atlete die zich op de Olympische Spelen voorbereidt.

Principe nummer 1: Zorg dat je niet ongesteld bent tijdens de wedstrijden! Ik zou dus zes weken lang zonder onderbreking de pil nemen. Bedankt Pinkus!

Principe nummer 2: Besteed veel zorg aan het eerste optreden; het is van invloed op alles wat erna komt. Vooral omdat de situatie wat de edele organen betreft niet rooskleurig was. Door een bronchitis, die ik had opgelopen in dat koude land waar de winter de herfst verdringt voordat hij de lente overschaduwt, was ik vroegtijdig vijftig geworden. Ik wilde dat compenseren door een vrolijk krullenkapsel, netjes in golfjes zoals Gauvain, die niet dezelfde ideeën heeft over goede smaak als de redactrices van *Harper's Bazaar*, dat mooi vindt. Maar mijn haar, dat statisch was geworden door de al te droge lucht en de bovenmatige verwarming in dit land, kon slecht tegen de elektroshock die de haarkunstenaar uit Québec had toegediend. Hier hebben de kapsalons, net als de Amerikaanse trouwens, meer weg van een wasserette, wassen, centrifugeren, drogen in achttien minuten, dan van zo'n weelderig toevluchtsoord als een schoonheidsinstituut in Frankrijk is. De wasbakken hebben de vorm van een omgekeerde guillotine en snijden in je nek, je keel wordt dichtgesnoerd door een hard plastic kraagje dat je om krijgt in plaats van een zachte handdoek en de dames die je haar wassen rossen je af als stalknechten voor ze je aan de geïnspireerde kunstenaar overleveren... die echter niet door jouw hoofd geïnspireerd wordt, als je de veertig bent gepasseerd althans!

Mijn roskamster, die volgens mij eerder in de ploeg discuswerpsters van Oost-Duitsland thuishoorde, deelde me zonder enige consideratie mee, terwijl ze me nog een paar handenvol extra uitrukte, dat ze nog nooit haren had gezien die zo uitvielen als de mijne.

'Dat komt door de herfst,' probeerde ik te zeggen, 'een beetje vermoeidheid...'

'Dan nog,' onderbrak ze me, 'zo'n ragebol, da's niet normaal.'

Het woord ragebol riep bij mij het spookbeeld op van een snel voortschrijdende kaalhoofdigheid die het einde van mijn carrière als minnares zou inluiden, aangezien het dragen van een pruik slecht samengaat met 'potjes van bil gaan' zoals de dueña het noemde. Dus accepteerde ik gedwee dat er een Mexicaans smeerseltje werd aangebracht dat rook naar desinfecteermiddel voor wc's, ik merkte het te laat, en dat mijn haar dof en en slap maakte ondanks de doortastende watergolf van Mario (of was het Emilio?).

Hoewel de tijd drong – het vliegtuig van Gauvain landde twee uur later – durfde ik me niet te verzetten tegen een gaufreerbehandeling die gepaard ging met een toupeerbehandeling zoals het in Frankrijk al in geen jaren meer gedaan werd, en die gevolgd werd door een verstevigingsbehandeling met een lak die deze keer naar een desodoriseringsmiddel voor taxi's rook, allemaal verrichtingen die, naar men mij verzekerde, absoluut noodzakelijk waren om 'wat volume' te geven. Meewarige blikken van Mario (of was het Emilio?) op de noodlijdende zones. Toen ik twintig was, had ik een bos haar als een Tahitiaanse, die reikte tot mijn middel, probeerde ik hun te vertellen om mezelf in een gunstig daglicht te stellen, maar het liet ze koud en ze geloofden er hoe dan ook niets van. Ik heb vaak gemerkt dat anderen nooit geloven dat jij jong bent geweest. Niet echt. Ze doen alsof, uit beleefdheid.

Ik vlucht de haartempel uit, veel te laat maar wel met een prachtig poppehoofd van zevenenveertig jaar. Gelukkig zal Gauvain alleen de pop zien, niet de zevenenveertig jaar. Zijn ogen zullen met een beetje geluk achteruit zijn gegaan. En trouwens, poppen zie je niet zo vaak op zee op 30° zuiderbreedte!

In de taxi zit ik in mijn eentje te lachen bij de gedachte dat ik binnen een uur mijn aalscholver weer zal zien opduiken en zijn vleugels zal zien openslaan voor de mooiste vrouw van de wereld. Op een minnaar wachten is veel beter voor je teint dan een echtgenoot verwelkomen en naarmate de taxi voortrijdt, voel ik me steeds mooier worden. Helaas! Twee uur vertraging op de vlucht Parijs-Montréal, en er is niets meer over van deze broze schoonheid. In de meedogenloze spiegels van de luchthaven zie ik al gauw alleen nog maar een dame met krulletjes als van een Maltezer leeuwtje, met kringen onder haar ogen en een niet al te frisse gelaatskleur, en uit niets blijkt dat ik net nog zo'n lekker gevoel in mijn aderen en mijn huid had.

Maar wanneer Lozerech ten slotte verschijnt, die er zoals altijd uitziet alsof hij zwaarder op de aarde weegt dan anderen en tegelijkertijd iets heeft van de eeuwige balling in zijn manier van lopen, zoals zeelieden hebben die al te lang de zee als hun vaderland hebben beschouwd, voel ik alleen nog een oneindige liefde. Zijn angstige blik zoekt me in de menigte en ik stort me zo hartstochtelijk in zijn armen dat ik meteen al mijn lip openhaal aan die akelige tand van hem met dat afgebroken hoekje. De dueña, die erop gestaan had met me mee te gaan naar Mirabel, begint onmiddellijk te grijnzen *'Zo, nou dat wordt geheid een herpes binnen achtenveertig uur, ouwetje!'* Ze noemt me ouwetje sinds ik vijfenveertig ben! Maar ik bekommer me niet meer om jaren of spiegels: ik zal mezelf voortaan in de ogen van Gauvain zien. Mijn leeftijd? Hoezo? Ik word immers bemind op deze leeftijd!

Geroerd bekijken we elkaar alsof we deze keer echt bang zijn geweest elkaar nooit weer te zien. Het feit dat we bijna afstand van elkaar hadden gedaan en er toch in geslaagd zijn elkaar nog eens te ontmoeten, hij ten koste van gevaarlijke acrobatische toeren en ik ten koste van ingewikkelde manoeuvres, waarbij de kleinste misstap alles op het spel kon zetten, maakt ons zo blij als kinderen. Het leven heeft nogmaals gewonnen. We houden elkaar bij de hand vast, als Amerikanen, terwijl we wachten op de bagage van Gauvain en we kussen elkaar onophoudelijk in de taxi die ons 'naar huis' brengt. Het is de eerste keer dat we een huis hebben, met een keuken, een koelkast vol levensmiddelen, een televisie, een platenspeler, een bed dat we zelf zullen moeten opmaken, maar dat we meteen bij aankomst openslaan om ons ervan te overtuigen dat de mateloze aantrekkingskracht die onze geslachtsdelen op elkaar uitoefenen nog steeds aanwezig is.

Ah, die eerste liefkozing van mijn kerel, wat heb ik daarvan gedroomd! Ja, alles is er nog, de kracht en de zwakheid, onverbrekelijk met elkaar verbonden.

'Je dacht dus nog vaak genoeg aan me, aalscholver, om van zo ver terug te komen?'

'Je bedoelt dat ik te veel aan je dacht om niet te komen.'

We rusten uit, met het kinderlijke diepe besef zeker te weten dat we zijn waar we horen te zijn. Ik streel de haartjes op zijn onderarmen, waartussen een paar witte draadjes verschijnen. Hij heeft zijn hand op mijn schaamheuvel gelegd, als een bezitter.

'Ik heb de indruk dat we nu nooit meer van deze ziekte zullen genezen. Ik heb de hoop opgegeven!'

'Dat is nou net 't bewijs dat het geen ziekte is. 't Is juist het leven, dat heb je me vaak genoeg gezegd. Ik vind 't niet leuk dat je doet alsof het een ziekte is.'

'Ik zeg dat omdat het is als een koortsaanval en je tussen de aanvallen door denkt dat het niet meer terugkomt.'

'Dat zeg jij. Ik weet dat ik verloren ben. En nog blij dat ik 't ben op de koop toe.' Hij lacht zijn mooie jonge lach.

Gerustgesteld kunnen we aan de tweede scène beginnen: 'De thuiskomst van de zeeman'. Gauvain pakt zijn koffer uit en bergt zijn spullen op terwijl ik met veel plezier saaie, simpele handelingen verricht die vanavond echter één voor één betekenen: bedrijf de liefde met me en dank je wel voor de liefde. Ik dek de tafel voor ons tweeën, breng hem een whisky (die heeft hij op De Kaap leren drinken), dien het avondeten op dat ik 's ochtends voor hem heb klaargemaakt. Ik speel de ijverige echtgenote die haar verre reiziger verwelkomt en tegelijkertijd de schalkse meid en terloops ook nog het smerige wijf. Dat zijn de grondbeginselen van de kunst, maar voor Gauvain is het genoeg om ervan overtuigd te zijn dat hij deze avond met de koningin van Scheba zit te dineren. Ik geniet van iedere blik van hem. Ik weet dat ik voor niemand ooit meer de seksbom zal zijn die hij in me ziet.

Bij het dessert staat hij op en hij legt plechtig een rood leren doosje bij mijn bord neer. Als Gauvain me een sieraad geeft, een echt, dan is de situatie wel ernstig.

'Wat had ik anders voor je moeten kopen in Zuid-Afrika dan goud... behalve een diamant?' zegt hij, blij en verlegen lachend, terwijl ik een heel lange gouden ketting te voorschijn haal die gemaakt is van dikke, regelmatige schakels als van een ankerketting. Ik weet al dat ik hem mooi vind.

"k Had liever een sieraad voor je gekozen dan een simpele ketting, maar omdat ik nooit iets heb begrepen van jouw smaak, was ik veel te bang dat ik ernaast zat. En alleen al als ik denk aan 't gezicht dat je trekt als ik iets voor je meebreng wat je in de prullenbak zou willen gooien...'

'Ooh! Zie je dat dan meteen?'

'Wat dacht je! Je mond lacht dan, als je dat lachen kan noemen, en je ogen kijken zo minachtend... dat je door de grond gaat. Dan voel je je waardeloos en het ergste is nog dat je niet begrijpt waarom! Die leren tas bijvoorbeeld laatst, die vond je zeker niet mooi, die heb ik nooit meer teruggezien!'

Ik lach om niet te hoeven antwoorden, ik zorg wel dat ik hem niet vertel dat ik die aan mijn Spaanse conciërge heb gegeven omdat ik moest braken van de oranje kunstzijden voering en ik pukkels kreeg van de vergulde sluiting met briljanten.

'Ik begrijp niet hoe je nog van me kunt houden, met mijn ingewikkelde smaak, mijn hebbelijkheden van een intellectueel en mijn "snobisme". Gelukkig ben ik ook een seksmaniak, nietwaar?'

'Kom dat maar eens bewijzen, ik weet van niks! En doe je ketting om, Karedig, dat ik hem op je blote huid zie. Volgend jaar krijg je het anker, dan kan je niet meer weglopen.'

Ik was vergeten hoe de eerste nacht kan zijn met een piraat die maandenlang geen vrouw heeft gezien en toch heeft het leven ons zo iets aardigs cadeau gedaan: meer eerste nachten meemaken dan tiende! Eigenlijk dacht ik, toen ik hem op mijn twintigste liet gaan, dat ik wel meer minnaars van dat formaat zou tegenkomen. Ik weet nu dat ze te zeldzaam zijn om er twee in één leven te kunnen verwachten.

We hadden de hele nacht nodig om ons van ons verlangen te verlossen. Ieder woord dat we uitspraken, ieder gebaar dat we maakten was al 'pre-orgastisch', zoals Ellen zou zeggen. In pseudo-dichterlijke termen gezegd: 'alles droeg ertoe bij ons vuur brandende te houden', ik bood hem mijn zachte lippen en hij drukte mij koortsachtig aan zijn borst, zoals romanschrijvers zeggen die bang zijn voor wat zich onder de gordel afspeelt en voorbij wensen te gaan aan het feit dat de geslachtsdelen onlosmakelijk zijn verbonden met de hersenen!

Maar dit boek stopt niet bij het middel. Ik moet dus bekennen dat de ware stokebrand van ons vuur... ja, natuurlijk de liefde was. Goed. Maar wat heeft het voor zin om te schrijven: 'Hij bedreef de liefde met me'? In werkelijkheid werd ik die avond om precies te zijn in vervoering gebracht door de duim van Gauvain in mijn *tunnel* terwijl zijn middelvinger aan het *knoopje van mijn sleepjurk* zat en zijn andere hand mijn *harteheuveltjes* beroerde, terwijl zijn *angel*, zijn *prikstok*, zijn *zwaard* hard werd en zijn kopje liet opkomen onder iedere aanraking die mijn handen of lippen bedachten, waarbij ik deze ouderwetse poëtische formuleringen met opzet gebruik om mijn dueña niet te alarmeren die onuitstaanbaar wordt nu ze op leeftijd komt.

Moet ik betreuren dat ik niets moderners, geëmancipeerders, gewaagders heb te beschrijven? Moet ik het jammer vinden dat we ons hebben beperkt tot die, dat moet ik toegeven, wel heel primitieve manoeuvres? Toch weet ik dat een erotisch schrijver die de naam waardig is op z'n minst zijn hoofdpersoon moet laten toekijken hoe diens partner zijn of haar gevoeg doet, en hem zich pas laat ontladen – zoals ze dat zo mooi zeggen – als zij haar zwarte jarretelgordel nog aan heeft, of als hij haar in haar gezicht heeft geürineerd. Van deze kinderachtige en onbehoorlijke praktijken mag je, naar men zegt, hoogstaande genietingen verwachten. Wel, dan zullen wij alleen doodgewoon genot hebben gekend maar dat was voldoende om ons in extase te brengen. Bovendien heeft het me verzoend met mijn geslacht en bevrijd van die kwaadaardige schrijversbende die ik zo lang meende te moeten hoogachten, in het kielzog van Sydney en zijn vrienden. Gauvain, die hen nooit heeft gelezen, heeft me ongevoelig gemaakt voor hun praatjes vol haat en minachting. Je hebt me zelfs van Freud bevrijd, jij die nauwelijks weet wie hij is!

In dit eindeloze steekspel is er geen winnaar of verliezer. Ik weet niet wie de leiding heeft en vaak wil ik niet degene zijn die eist; maar zodra we elkaar ook maar aanraken, ben ik zo snel vertrokken dat we elkaar ervan beschuldigen te zijn begonnen.

'Je deed alsof je sliep maar je lag achter me met een stijve, ik voelde het wel hoor, walgelijk type!'

'Wat ben jij vals! Jij bent begonnen met je billen te draaien, net toen ik bijna sliep!'

Eindelijk, tegen de ochtend liggen we uitgeteld neer en in stilte zeg ik dank, met zijn nog mollige vogel in mijn hand geklemd. Gauvain is zoals gewoonlijk midden in een zin in slaap gevallen en het lieve vogeltje ligt in zwijm. Bij het wakker worden heb ik in het kommetje van mijn hand alleen nog een zacht frietje dat onder in de pan is blijven liggen.

De volgende morgen in het schrille licht van de Canadese voorwinter, lijken toverkunsten ook op oude frietjes. Gauvain heeft hoofdpijn, dat komt door het tijdsverschil. Ik heb ook hoofdpijn, dat zal wel door de wodka komen. *'Kletspraatjes,'* zegt de dueña, *'dat zijn de charmes van de vijftigjarige leeftijd. Kijk maar naar de medi-*

cijnen die jullie uitgestald hebben, die liegen er niet om. Liefde met Algipan te midden van knieverbanden, oestrogenen en laxeermiddelen, en dan hebben we het nog niet eens over de kramp in je kuiten op het beslissende moment, dat is de ouderdom, dat zul je zien.' 'Hou je snavel, ouwe struisvogel.' 'En heb je gemerkt dat hij nu steeds als hij uit een lage stoel opstaat ''Ahh'' zegt? En ik wijs je erop dat hij vaak gaapt, hij zal wel last van brandend maagzuur hebben. Trouwens, hij gebruikt Gelusil. Je moet hem eigenlijk niet zoveel laten drinken. En heb je de huid van zijn hals gezien? Die lubbert.' 'Je zuster!' 'Precies! Kijk ook maar eens naar je eigen armen, daaraan kun je zien hoe oud je bent.' 'Niet hoe oud ìk ben, hoe oud zij zijn.' 'Nu we het toch over leeftijd hebben, je libido wordt de laatste tijd weerzinwekkend, dame, en ik vraag me af of al die hormonen die ze tegenwoordig voorschrijven...' 'Mijn hormoon heet IK HOU VAN JE. *Dat tegen me gezegd wordt dat ik een schat ben. En met zoveel overtuiging dat ik het nog ga geloven ook, wat wil je!' 'Ha, ha! Nou ja, als hij zo dom is dat hij jou een schat vindt, geniet er dan maar van, zo één zal je niet weer vinden.' 'Ik ben niet op zoek.' 'We zijn altijd op zoek, meisje. Nog een laatste kleinigheid als je het goedvindt,' gaat ze onverbiddelijk door, 'hij mist een voorkies en nu komt het niet door een vechtpartij zoals de vorige keer. Eén tand missen, dat heeft nog iets van een zeerover, maar twee, dat lijkt Père Magloire wel! Jij wilt het niet zien, maar ik let goed op.'*

Als je elkaar lang niet ziet, laat je je inderdaad meeslepen door je dromen. Op den duur houd je van iemand die niet helemaal meer bestaat maar die door jouw verlangen gevormd wordt. Schrijven is verraderlijk. Liefde door middel van een briefwisseling is bedrieglijk. In een brief heb je geen last van kleine lichamelijke gebreken die de meest nobele gevoelens kunnen ondermijnen. In brieven wordt niet geboerd. Je hoort er geen gewrichten kraken. Maar bij een man, zeker als hij in een mannengemeenschap leeft, komt het niet op om de kleine ongemakken van de ouderdom te verdoezelen.

Maar vreemd genoeg wekken die symptomen bij mij alleen maar medeleven op. Ik voel een opwelling van liefde als hij zich, verkrampt van verlangen, over me heen buigt met zijn verslapte gezicht en zijn glanzende tong bungelend in het halfdonker van zijn open mond.

'Het lijkt wel de tong van een zieltogende schildpad,' merkt de dueña op. 'Hartstocht kan iemand onherkenbaar maken, dat is algemeen bekend,' zeg ik. 'Jonge mannen niet,' antwoordt ze. 'En over vijf of zes jaar, denk daar eens aan... als je dan nog steeds tot grote prestaties in staat bent: niet boven liggen tijdens het vrijen. Dan hangt alles zo. Of anders in het halfdonker. Als je ouder wordt, kun je je steeds minder veroorloven op klaarlichte dag te vrijen of naakt door een kamer te lopen. Trouwens, kijk eens hoe hij loopt: hij staat niets vermoedend op, die stomme eend! Hij weet niet dat hij te weinig kapok in zijn billen heeft... Hij is nog mooi, goed, maar het is nu wel een ''vieux premier''.'

Kan wel zijn, maar zijn spieren staan nog steeds bol op zijn stevige dijen die uit zijn romp steken als de twee hoofdtakken van een boom. En ik houd van zijn volle schouders die niet zijn gebogen onder de last der jaren en van zijn rug vol kinderlijke sproeten die, net als zijn karakter, weigert te buigen. En ik houd ervan door mijn wimpers te kijken naar zijn lachende, lieve ogen, twee druppels zee, of me in mezelf te keren wanneer hij daar ook is en te luisteren hoe gevoelens voorbijtrekken die nog geen last van rimpels hebben.

En het kan me niet schelen dat hij geen stierenvechtersbillen meer heeft, dueña, ongeluksvogel, niet alle stierenvechters hebben zo'n lul als hij, een verrukkelijke lul, of hij nou stijf als ivoor of slap als deeg is, een lul die opgepompt kan worden en niet kan knappen, die beige en brutaal is en altijd klaar voor de start en rond als de steel van een houweel die glad geworden is in het gebruik, en nooit verkreukeld, zelfs niet als hij uitgeput is. En niet alle stierenvechters hebben zulke ballen als edelstenen, die altijd koel zijn en stevig op hun plaats zitten.

Toen ik twintig was, dacht ik serieus dat ik niet op dat formaat gebouwd was. En ook niet op dat ritme. Als ik bij Gauvain vandaan kwam, was dat gebied uiterst gevoelig en had ik o-benen als

een paardrijder. Ik was tevreden met het delicate staafje van
Jean-Christophe of de behendige slang van Sydney en hun beza-
digde optreden. Jawel mevrouw, ik geef het toe, nu ik de eerste
schok te boven ben. Het kan niet fors genoeg zijn. En zolang je nog
niet genoeg mensen, mannen of vrouwen, hebt geprobeerd, weet
je niet waar je moet ophouden in de liefde. Onbekenden sluimeren er in ons en velen daarvan zullen nooit wakker worden.

Houden van een aalscholver heeft als voordeel dat je je niet
druk hoeft te maken over manieren. Lozerech heeft geen gevoel
voor wat belachelijk is of in ieder geval niet hetzelfde gevoel als ik.
Hij heeft gevoel voor waardigheid, dat is iets anders. De vriendin
wier appartement ik mag gebruiken heeft een verzameling oude
platen met jazz en liedjes van vroeger, en als we samen thuis eten,
kan ik de verleiding niet weerstaan mijn armen om mijn kapitein
heen te slaan en 'cheek to cheek' met hem te dansen op alle 'senti-
mental journeys' uit mijn jeugd. Ik word zijn 'Paper Doll', zijn
'Georgia on his mind', hij is 'under my skin' en we laten ons meevoeren door onze nostalgie – *'als twee ouwe zakken,'* zegt de dueña –
of twee jonge zakken, of laten we zeggen gewoon twee zakken,
die over de gave beschikken samen altijd weer opnieuw zakken te
worden. Met regelmatige tussenpozen brengt hij zijn lippen naar
mijn mond en wellustig blijft hij daar alsof hij mijn mond nooit
eerder heeft gezien.

'Het is niet normaal om zo graag te zoenen, Lozerech. Ik wed
dat je moeder je minstens tot je zevende met een speen in je mond
heeft laten lopen!'

''t Is niet dat ik 't zo graag doe, maar 't is de beste manier om je te
krijgen waar ik je hebben wil!'

We lachen onnozel... Ik druk hem nog steviger tegen me aan. Ik
denk er liever niet aan hoe we eruitzien. Als Loïc of Frédérique me
eens zagen vanaf de andere kant van de ruit? Alleen die lieve
François zou ons niet veroordelen. Maar waarom zou ik bedenken hoe ik eruitzie? Ik hoef me daar even niet mee bezig te houden en deins nergens voor terug: knapperend haardvuur, kaar-

sen op tafel die ik steeds vaker gebruik om redenen waar Gauvain zelfs geen idee van heeft, en dan de liefde op het grote rendiervel bij de gloeiende houtblokken. Ja hoor, ik trakteer mezelf op alles wat je op onze leeftijd niet meer durft te doen, op wat ik nooit heb durven doen in mijn milieu waar iedereen blasé is.

Ik moet nog een lezing houden voor de sectie Women Studies van de universiteit, over *De beperkte plaats die vrouwen toekomt in de Geschiedenis en in de Kunst*. Ik heb tevergeefs enige pogingen gedaan Gauvain uit zijn hoofd te praten om naar me te komen luisteren, want zijn aanwezigheid zal een verlammende uitwerking op me hebben. Maar al heb ik hem verboden op de voorste rijen plaats te nemen, toch zie ik hem algauw zitten, met zijn ellebogen op zijn knieën om alles beter te kunnen volgen, als de beste leerling van de klas in Morbihan. Hij heeft niets van de ongedwongen houding van de docenten of van de gemaakte onverschilligheid van de studentes die tachtig procent van mijn gehoor uitmaken.

Ondanks mezelf let ik op mijn taalgebruik: ik wil hem niet al te zeer overdonderen! Moge enig begrip voor het onrecht dat vrouwen wordt aangedaan doordringen tot het braakliggende terrein waar zijn basisideeën sluimeren, maar ik moet hem niet verontrusten door het te hebben over de oorlog der seksen. De argumenten die hij zou kunnen aanvoeren staan me bij voorbaat al tegen. Hij verkeert te goeder trouw in het Cromagnon-stadium wat redeneren betreft: 'Er zijn nog nooit vrouwen geweest onder de grote schilders, de grote musici of de geleerden. Dat wil toch wel wat zeggen, niet?' En de Cromagnonmens kijkt je aan alsof hij je zojuist een klap met een knots heeft toegediend! Omdat ik de moed niet heb om de strijd aan te binden met zo'n peilloze domheid, houd ik Gauvain liever verre van dit soort problemen. Alles wat ik mag hopen is heel even iets, al is het ook maar een schijntje, verwarring bij hem te zaaien.

Na afloop tref ik hem helemaal geroerd aan, niet door de ideeën die hij alweer vergeten is met hun mysterieuze namen en onbekende termen, maar door het applaus dat mijn lezing herhaaldelijk heeft onderbroken, door de zichtbare goedkeuring van het publiek voor mijn argumenten, en ook door het gelach. Kortom, door mijn succes. Alleen diegene houdt echt van je tegenover wie je je superioriteit kunt tonen zonder dat het zijn gevoel van eigenwaarde kwetst of zijn rancune oproept.

Zodra we de sobere maaltijd die op universiteiten gebruikelijk is naar binnen hebben gewerkt, gaan we stilletjes weg, nadat we alle uitnodigingen hebben afgeslagen, om met z'n tweeën uit eten te gaan want ik heb vanavond besloten Gauvain uit te nodigen in een van de beroemdste restaurants van Montréal.

Als je van elkaar houdt, lijkt alles op een knipoog of op toeval: we worden verwelkomd door een liedje van Félix Leclerc zodra we het restaurant binnenkomen, een heel oud liedje dat Gauvain vroeger zong. Ze hebben dezelfde donkere, gebronsde stem die maakt dat alle woorden je ontroeren.

'Ik geloof dat ik weer voor je charmes bezwijk, zoals bij de bruiloft van je zus, weet je nog?'

Gauvain glimlacht zelfvoldaan. Zijn stem is het enige waarmee hij koketteert en hij gebruikt zijn stem graag. Om ons heen hangt een verrukkelijke geur, een mengeling van kreeft, dragon, cantharellen, een vleugje knoflook, en de damp van de cognac die geflambeerd wordt, en dit alles bij elkaar vormt de specifieke geur van heel goede restaurants. Waar je in je dromen, als je op een winteravond in je eentje in de keuken achter een bord koude macaroni zit, van ortolaan zit te smullen tegenover iemand op wie je dol bent en met wie je hoogst waarschijnlijk straks de liefde zult bedrijven, met de smaak van frambozen nog op je lippen...

Terwijl we de kaart bekijken en de gerechten in gedachten al proeven, denk ik plotseling aan Marie-Josée, aan hoe onrechtvaardig het is dat zij de smaak niet kent van een toastje kaviaar met een glas stroperige aquavit, onder de onbeschrijfelijke blik van een verliefde man. Aan Marie-Josée die voor niemand ooit een seksbom is geweest. Aan de man die van haar is maar die alleen voor mij warmloopt, terwijl ik hem niet in mijn leven wilde hebben. Heeft ze ooit wel eens de tijd genomen, sinds ze getrouwd zijn, om eraan terug te denken hoe mooi hij was? Of heeft ze zich erbij neergelegd te behoren tot de nederige kudde echtelijke dienstbodes, die de voeten van hun man masseren die hem naar een ander brengen; die verzorgende shampoo op zijn hoofdhuid aanbrengen zodat hij zijn lokken op andere kussens kan neervlijen; die biefstukken van een pond voor hem bakken zodat hij genoeg energie heeft om met zijn minnares vijfmaal achtereen de liefde te bedrijven...

Heeft hij met haar wel eens vijf keer in een nacht gevreeën? Wat weet ik er eigenlijk van? Slaapkamers verbergen meer geheimen dan wij ons in onze jaloezie kunnen voorstellen.

Ik stel dit soort vragen niet aan Lozerech. We brengen Marie-Josée alleen ter sprake als we er niet omheen kunnen en hij zou het smakeloos vinden mij te vertellen wat ze nog voor hem betekent. Als we samen zijn, vergeten we liever onze levens en worden we twee personen die maar weinig overeenkomst hebben met wie we voor onze naaste omgeving zijn.

Ik zou me bijvoorbeeld niet op mijn gemak voelen als François mijn vrienden uit Québec ontmoette die mij alleen kennen als het liefje van Gauvain, die op straat zijn hand vasthoudt, die voortdurend schatert van het lachen terwijl hij niet geestig is, die doodeenvoudig lacht omdat ze leeft en speelt dat ze een ander is. Ik slaap zelfs anders als ik bij hem ben.

Als je ouder wordt, heb je de neiging de personages die je vroeger was weg te stoppen onder de persoonlijkheid die naar jouw idee de ware is. Maar in feite zijn ze er allemaal en wachten ze alleen op een uitnodigend gebaar of een gunstige gelegenheid om weer fris en vrolijk voor de dag te komen.

In Montréal leven we bijna alsof we getrouwd zijn, want ik heb uiteindelijk Gauvain aan mijn vrienden kunnen voorstellen. Hij vindt heel vanzelfsprekend zijn plaats in die samenleving van Québec waar de mensen zijn zoals hij, nog dicht bij hun bron, en een taal spreken die hij instinctief begrijpt, zelfs als ze in plaats van 'deksels' en 'verdomme' 'sakkerloot' of 'sapristie' zeggen! Het stelt hem op zijn gemak om iedereen te horen spreken met een accent dat nog sterker is dan het zijne.We zijn niet meer alleen twee geliefden die zich schuilhouden, maar een stel als ieder ander, dat naar het theater gaat of naar een concert en vrienden te eten uitnodigt. Hij heeft zich zo in de rol van echtgenoot verplaatst, dat hij in de bioscoop, waar we voor het eerst van ons leven samen naar toe gaan, zich gedroeg alsof ik zijn bezit was!

Het bekende verhaal: het licht is nog maar net uit of mijn rechter buurman, die een peper-en-zoutkleur echtgenote bij zich heeft, legt steeds nadrukkelijker zijn hand tegen mijn zij, en dan op mijn dijbeen. Het duurt even voor je het er met jezelf over eens bent dat het gaat om handtastelijkheid, maar omdat hij steeds opdringeriger wordt, is er algauw geen twijfel meer mogelijk. Ik sla resoluut mijn rechterbeen over mijn linker.

Vijf minuten later, de man heeft net genoeg tijd gehad om zijn hand voort te laten schuiven zonder de aandacht van zijn vrouw te trekken, is hij weer ter plaatse gearriveerd. Ik kruip zover mogelijk in elkaar op de nog beschikbare ruimte en, zoals elke keer weer, zou ik hem het liefst zo willen uitschelden dat hij het niet licht zal vergeten... wat nog nooit gelukt is. Ik maak mezelf wijs dat ik alleen niets laat merken om zijn nietsziende vrouw naast hem te sparen en pas als ik het gevoel heb niet veel groter meer te zijn dan een scharretje, durf ik te reageren. Ik pak mijn tas die op de grond staat en zet die met kracht tussen onze twee stoelen, boven op zijn arm die hij haastig terugtrekt. Dan zit hij doodstil. Gauvain heeft ook niets gezien, zijn blik is strak op het scherm gericht, hij concentreert zich op wat hij doet, zowel in de bioscoop als overal elders. Zodra de verpeste Woody Allen film is afgelopen en het licht aangaat, staat de man haastig op en duwt zijn vrouw naar de uitgang. Tersluiks sla ik hem gade: het is niks! Kleurloos en leeftijdsloos, hij ziet er niet eens uit als een smeerlap. Ik fluister tegen Gauvain: 'Zie je die vent voor ons, straks als we buiten zijn, zal ik je wat vertellen.'

Instinctief was ik al beducht voor zijn reactie maar ik onderschatte die nog. Hij wordt paars van woede als ik hem het onbeduidende voorval vertel. Gelukkig is 'die viespeuk' al weg, anders 'had ik hem te grazen genomen'. 'Dat zou hij niet voor de tweede keer gedaan hebben, dat geef ik je op een briefje... Die ouwe smeerlap... Die gore rukker... Kol bouët...' Hij gaat flink tekeer in het Bretons en in het Frans.

Hij kan er maar niet bij dat ik hem niet meteen ter bescherming heb geroepen, zoals ik er niet bij kan dat hij meent de bezitter van mijn eer te zijn. Het lukt me niet hem aan zijn verstand te brengen dat niet hij beledigd wordt als iemand mij aanraakt en dat klagen bij hem zou hebben betekend dat ik mijn status van object tussen twee rivaliserende kerels had erkend. Hij luistert naar me maar zijn blik wordt overschaduwd door woede die het hem onmogelijk maakt om ook maar de eenvoudigste redenering te volgen. Ik voel me net een merrie uit een wild-westfilm die een paardendief met zijn lasso heeft geprobeerd te vangen! Mijn arme cowboy is er echter van overtuigd dat hij me een bewijs van liefde heeft gegeven en door een afgrond gescheiden bekijken we elkaar.

Ten slotte gooi ik hem een loopplank toe door te doen alsof ik zijn jaloezie vertederend vind. Maar het spijt ons allebei dat er zo'n gebrek aan begrip is. Hij gaat gekrenkt naar huis, ik kom terneergeslagen terug.

Na hoeveel tijd en na hoeveel mannen weet je eindelijk wat past bij het diepste van je wezen? En dan ontdek je nog dat je niet kunt leven met wat bij jou past.

Eigenlijk heb ik in Montréal de gelegenheid de werkelijke Lozerech te ontdekken, in zijn dagelijkse gewoontes. Een man die het brood tegen zijn borst houdt om het te snijden; die iedere ochtend als ik met de krant kom weer zegt: 'Ik snap niet dat jij je op de krant stort,' en die dan denkt dat hij leuk is als hij er als extraatje aan toevoegt: 'Over een paar dagen zijn ze oud, die "nieuwtjes" van je!' Om de andere dag deelt hij me bij wijze van waarschuwing mee dat 'de wereld zonder mij heus wel doordraait'. Een man die voor de doodstraf is en tegen 'luxegevangenissen', ('ze zouden zich beter es met ouwe mensen kunnen bemoeien!'). Die denkt dat muziek 'Les moines de Saint-Bernardin' is of 'Gentille Alouette', in koor gezongen in een chansonkelder in Québec waar ze als versiering een ruif met hooi aan de muur hebben. Een man die verbaasd is dat ik 'Sombreros et Mantilles' ken of 'Prosper, Yop la Boum', die we opdiepen uit de kist 78-toerenplaten van mijn vriendin. M'n beste kerel! Dat ik Aristoteles ken wil nog niet zeggen dat ik niet weet wie Rina Ketty is. Een man ten slotte die ik vragen stel over Zuid-Afrika, de diamantmijnen of de apartheid en die niets bijzonders heeft opgemerkt en me geen antwoord weet te geven, want zeelui krijgen het voor elkaar om hun hele leven te reizen zonder ooit de landen te leren kennen die ze aandoen. Ze zien alleen de binnenhavens die van Singapore tot Bilbao hetzelfde zijn.

Het lukt me niet altijd om mijn ergernis te verbergen bij zijn gebrek aan kennis en mijn verschil van mening bij zijn politieke theorieën. Dan weigert hij te discussiëren, er komt geen woord meer uit en zijn ogen worden donker, zodat ik soms verbaasd ben dat hij nog van me houdt. Alleen een betovering of een bezwering houdt hem zo lang gevangen. Weliswaar ben ik soms zo gemeen om die met opzet te laten voortduren.

'Kortom, jouw ideaal zou zijn ''neuken en mond houden'',' resumeert de dueña die deze keer heeft besloten mijn plezier te vergallen. *'Wil je je kop wel eens houden?'* *'Verdiende verwijten kwetsen het meest, liefje. Maar zodra jij besprongen wordt...'*

Ik zal dat ouwe wijf eens een optater verkopen, haar afrossen, haar in de grond stampen... Want vreemd genoeg kan ik er niet tegen 'besprongen' te worden. Ze mogen met me vozen, me naaien, kezen en me een beurt geven, maar me niet 'bespringen'. Er zijn van die uitdrukkingen, niet eens de ergste of de meest beledigende, die je razend maken.

'Rotwijf, begrijp je dat ik zin heb om je een doodsteek te geven!' Ze lacht, ze gelooft me niet. Ze weet dat het me nooit is gelukt haar de

laan uit te sturen. Maar deze avond, bij Gauvain met zijn radeloze blik naarmate het uur van onze scheiding dichterbij komt, schaam ik me ervoor dat ik zo'n boosaardig wezen herberg en haar praatjes zo lang heb aangehoord. Het wordt tijd haar van haar functie te ontheffen. Straks, in het vuur van de liefde zal ik mijn dueña doden ter ere van jou, aalscholver.

Vooralsnog liggen we met de armen om elkaar op de canapé bij de vlammen die het spelletje meespelen en luisteren we naar de door merg en been gaande stem van Leonard Cohen, die past bij onze stemming. Karedig... stel je voor dat we getrouwd waren... En dat jij iedere avond thuiskwam, aalscholver... En dat we alle dagen samen wakker werden... Doordat ik aangedaan ben, ga ik dingen zeggen die ik niet denk, of niet helemaal, of maar heel even. Maar het doet ons goed en wat moeten we anders dan fantaseren, om alles te vermijden wat op een belofte voor de toekomst zou kunnen lijken? De toekomst, dat is gelukkig nooit meteen. We hebben geleerd zonder toekomst te leven. We zijn al blij te weten dat Gauvain volgend najaar weer naar Montréal zal komen.

We hebben geen zin om te dansen deze avond noch om te vrijen, alleen om samen niets te doen, alsof we het leven voor ons hebben. Ik weet niet meer welk hartverscheurend gedicht van Cohen ons die nacht door de ziel sneed, *'Let's be married one more time'* of *'I cannot follow you, my love'*, toen het begon. Ik herinner me alleen dat ik voor het raam stond, tegen Gauvain aangeleund, en dat we keken hoe achter de ruit de eerste sneeuw van de herfst alle kanten op dwarrelde. Onze gezichten raakten elkaar aan maar we kusten elkaar niet. En plotseling waren we ergens anders. We stonden niet meer op de grond. We werden niet meer begrensd door onze huid, we waren niet meer van het mannelijk en vrouwelijk geslacht, het was alsof we buiten ons lichaam waren, een beetje erboven eigenlijk, twee zielen die heel licht heen en weer wiegden, zonder besef van tijd.

Ik hoorde Gauvain met een onherkenbare stem prevelen: 'Zeg

vooral niks...' Maar ik was niet in staat iets te zeggen en wat had ik kunnen zeggen? Elke seconde die voorbijging was de eeuwigheid.

De muziek drong als eerste weer geleidelijk tot ons door. Daarna verscheen de kamer weer om ons heen, ik werd me weer bewust van de armen van een man om me heen, van zijn warmte, zijn geur, en we daalden heel zachtjes weer neer in onze eigen lichamen die weer begonnen te ademen. Maar we voelden ons nog kwetsbaar, bewegingen, woorden maakten ons bang. Toen zijn we gaan liggen, zo op het rendiervel, waar we heel diep hebben geslapen, innig omstrengeld. We wisten dat het op z'n minst een nacht van stilte en een halve omwenteling van de aarde om de zon zou duren voor we weer helemaal onszelf zouden zijn.

Laatste dagen hebben we al zoveel meegemaakt dat ik er ook niet meer tegen kan. Het lijkt wel of ons verhaal bestaat uit eerste en laatste dagen, en niets daartussenin! Dat gezicht van Gauvain alsof hij door een kogel dodelijk is getroffen, zijn onvermogen om een erectie te krijgen de laatste nacht, wat hem woedend maakt, en dat zenuwachtige gedrag van hem als het tijdstip van vertrek naderbij komt... Twaalf uur van tevoren is hij er al niet meer bij. Hij leest niet in het tijdschrift dat hij in zijn handen houdt, hij luistert niet naar de plaat die hij opzet noch naar de woorden die ik tegen hem zeg. Hij verkondigt een paar keer dat hij alleen zijn koffer nog maar hoeft dicht te doen en dan is hij klaar, deelt me daarna mee dat hij nu zijn koffer dicht gaat doen, dat het tijd is; en vertelt me ten slotte dat zijn koffer dichtzit en dat hij klaar is. Hij kan dan alleen nog maar bij de deur gaan zitten tot het onvermijdelijke moment dat hij zal opstaan om te kijken of zijn koffer wel goed dichtzit, en dan heb ik het nog niet eens over de riem die hij eromheen doet, idioot strak aangetrokken, alsof wilde beesten hem met alle geweld zouden willen openscheuren.

Als ik hem nog eens goed aankijk om zijn lieve krulletjeshoofd beter in mijn geheugen te prenten, zijn warrige wenkbrauwen, zijn oogharen als van een pop en die mond als van een Amerikaanse filmster, zie ik plotseling dat hij moe is. Ik was twee weken lang te dicht bij hem om hem goed te bekijken. Hij heeft kringen onder zijn ogen gekregen terwijl mijn ogen steeds meer zijn gaan stralen en ik het genotshormoon door mijn aderen voelde stromen, de endorfine, zou de dueña zeggen als ze nog kon praten. In feite is het, in tegenstelling tot wat men beweert, de man die zich geeft in de liefde. Het mannetje stroomt leeg en raakt uitgeput terwijl het wijfje opbloeit. Bovendien keer ik voldaan terug naar een prettig leven, naar een man die op me wacht en een beroep dat niet al mijn krachten vergt, terwijl hij als enig perspectief de eenzaamheid heeft, zijn galei en de langoesten.

Alleen als we in het proces van de liefde zijn verwikkeld, vergeet ik hoezeer we tot twee verschillende soorten behoren. Ik heb toen ik jong was lange tijd gedacht dat van elkaar houden betekent in elkaar opgaan. En niet alleen in de kortstondige, alledaagse eenwording van lichamen, zelfs niet in een mystiek orgasme. Ik denk dat nu niet meer. Het lijkt me nu dat houden van betekent twee blijven, tot verscheurdheid aan toe. Lozerech is niet mijn gelijke en zal het nooit worden. Maar misschien is dat de bron van onze hartstocht.

11
MONTRÉAL ZIEN EN DAN STERVEN

Je wordt niet elke dag een beetje ouder, maar met schokjes. Soms sta je lange tijd stil op hetzelfde punt, je denkt dat ze je vergeten en dan opeens ben je tien jaar ouder.

Maar ook de ouderdom heeft iets van de jeugd in zich, hij neemt de tijd om zich te installeren. Akelig nonchalant gaat en komt hij. Het gebeurt wel eens dat het op dezelfde dag nog heel goed en al heel slecht met je gaat!

Net als in je jeugd beginnen dingen je voor de eerste keer te overkomen: de eerste pijn in je knie wanneer je op een dag een trap opklimt... De eerste keer dat je tandvlees terugwijkt bij die hoektand waar tot dan toe nog niets aan mankeerde... Je zou niet precies kunnen zeggen welke dag het is ontstaan en plotseling is het er, die gelige hals boven aan je tand, die krampen in een gewricht op een ochtend bij het opstaan... Ik heb me gisteren zeker te veel ingespannen toen ik de zolder opruimde, denk je. Wel nee, je hebt niet meer gedaan dan anders. Alleen jij, jij bent niet als anders. Het territorium van de vermoeidheid heeft zich uitge-

breid en zal zich elke dag verder uitbreiden. Je begint aan je ouderdom.

Aanvankelijk sta je je mannetje. Je wint een paar slagen, het
lukt je de invasie te vertragen door middel van steeds meer ingewikkelde en kostbare manoeuvres. Het is nog niet zover dat je
evenveel uren doorbrengt met het dichten van gaten als met leven.

Ik had het voorrecht dat ik zonder angst kon kijken naar de eerste tekenen van het kwaad op mijn lichaam, omdat er iemand was
die van me hield. Ik klopte zonder al te veel walging op mijn buik
die wat dikker en minder gespierd was geworden, omdat iemand
van me hield. Ik keek gelaten naar mijn steeds slapper wordende
armen, omdat iemand van me hield. Mijn vertrokken mond, mijn
kraaiepootjes die steeds dieper werden... Tja, het is wel vervelend,
maar er is iemand die van me houdt. Geen enkele vorm van aftakeling kon me neerslachtig maken zolang Gauvain naar me zou
verlangen.

Zeker, François houdt van me maar zonder me gerust te stellen
over mijn uiterlijk dat hij niet ziet veranderen. Hij behoort tot de
mannen die voorstellen om een foto van je te maken uitgerekend
op die ochtend dat je met het verkeerde been en de verkeerde blik
uit bed bent gestapt, met haren die niet in model willen, een op-
vallend vaalbleke gelaatskleur en een ochtendjas die als een dweil
om je heen hangt, waar die krengen toch al de neiging toe hebben
zodra jij geen dertig meer bent en zij meer dan drie maanden oud
zijn. En dat 'maar ik vind dat je er heel goed uitziet, zoals altijd'
brengt alle complimentjes uit verleden en toekomst in diskrediet.

Gauvain is niet 'aardig', hij is overweldigd door mijn charmes...
Met vijfenvijftig jaar is hij even vurig als altijd, twee keer per jaar
heb ik de gelegenheid om me daar ten volle van te overtuigen.
Québec is namelijk een paar jaar lang ons tweede vaderland geworden. Ik bracht er altijd die heerlijke oktobermaand door waar
de inwoners van Québec zo trots op zijn vanwege hun purperrode
esdoorns en die overdaad aan vlammende kleuren, voor het wit

van de winter. Gauvain kwam ieder najaar zo lang mogelijk bij me, en in het voorjaar waren er ook een paar dagen in Frankrijk die we vrij hielden. Eigenlijk brachten we samen de dag-en-nachteveningen door, zo'n beetje als de sirenen uit de Scandinavische verhalen die een paar weken per jaar op aarde komen om een sterveling te beminnen. In afwachting van de bijlslag van de pensionering die deze natuurkracht voorgoed zou terugbrengen naar Larmor, bij een zieke vrouw, om hem te laten grazen in een weitje.

Aan François vertelde ik slechts de halve waarheid. Hij wist dat Lozerech me soms in Montréal kwam opzoeken maar hij vroeg liever niet hoeveel tijd we samen doorbrachten. We hadden een stilzwijgende afspraak dat Gauvain een soort voorrangsprivilege genoot dat levenslang gold. Onze ontmoeting in maart liet ik samenvallen met een reportage en François deed alsof hij me geloofde. Onze relatie werd er af en toe wat droevig door maar werd er niet door vergiftigd. De fijngevoeligheid en grootmoedigheid van mijn partner op een gebied waar zo weinig echtgenoten erin slagen hun gevoelens te verbergen, vervulden me met dankbaarheid en bewondering jegens hem.

Ons laatste verblijf in Canada hadden we verlengd met een week in Québec om de Jamesbaai te zien en de grote trek van zwanen en ganzen mee te maken, wanneer de vogels als ratten het schip verlaten vlak voordat het voor zes maanden verdwijnt onder zijn dek van sneeuw.

Ook Gauvain begon de winter in te gaan. Hij was nu zevenenvijftig. Aan zijn slapen werd hij grijs en over zijn handen liepen aderen als kabeltouwen. Zijn lach was niet zo bulderend meer maar zijn sterke gestalte stond nog als een brok graniet overeind, strak van de spieren die door zijn beroep geen kans kregen te verslappen en zijn ogen leken des te blauwer en onschuldiger op zijn goede dagen. 'Laten we niet over de toekomst praten,' had hij me die keer bij zijn aankomst gevraagd, 'ik wil profiteren van alle momenten dat we samen zijn.'

En geprofiteerd hadden we! Hij had me dat jaar, na het beloofde en speciaal op De Kaap bestelde anker, een gouden hanger gegeven waarop aan de binnenkant onze initialen en één enkel jaartal stonden gegraveerd: 1948, met daarachter een streepje en een open ruimte.

'De laatste datum moet jij laten graveren als het zover is.'

Ik had zin om hem snedig te antwoorden: het is al zover als jij niets tegen Marie-Josée durft te zeggen. We zullen gepensioneerden van de liefde zijn nu jouw werk je geen alibi meer verschaft. Ik viel elke avond in zijn armen in slaap met de gedachte dat hij binnenkort het hele jaar in Bretagne zou zijn, vlak bij me, maar onbereikbaar, in het bed van Marie-Josée op wie ik voor de eerste keer jaloers begon te worden. Ik probeerde zoveel mogelijk van hem in me op te slaan, niet zonder de stiekeme hoop dat hij er al snel niet meer tegen zou kunnen om in één klap zijn beroep en zijn liefde kwijt te zijn. Maar ik had gezworen dat probleem niet aan te snijden voor de laatste dag.

Die kwam te snel, de laatste dag. En de koffer en de riem die misschien niet meer gebruikt zouden worden, en het zenuwachtige controleren van het ticket, van het tijdstip van vertrek, van aankomst op Roissy, van de frequentie waarmee de bussen naar Orly reden omdat hij de verbinding met Lorient niet wilde missen, wat kon mij dat schelen, het uur waarop hij voorgoed zou terugkeren naar Marie-Josée, hij was toch niet van plan om al pratend over dienstregelingen uit mijn leven te verdwijnen?

'Heb je misschien enig idee wat je zou kunnen bedenken om elkaar nog eens te zien, nu je "De heer en mevrouw Lozerech" wordt?'

'Karedig, nu we het er toch over hebben, ik moet je wat vertellen.'

Hij zag er plotseling uit als een heel oude aalscholver die in de val gelopen was en mijn hart hield op met kloppen...

'Ik ben twee weken geleden bij de dokter geweest. 't Is geen goed nieuws.'

'Voor Marie-Josée?'

Een laf gevoel van opluchting maakte zich van me meester.

'Nee, met haar gaat 't goed. Nou ja, laten we zeggen hetzelfde. Nee, 't gaat om mij.'

Ik krijg opeens een droge mond. Hij is ver bij me vandaan gaan zitten en praat langzaam, als tegen zijn zin.

'Ik was daar voor de jaarlijkse controle en ze hebben zoals altijd een elektrocardiogram gemaakt. Maar 't lijkt erop dat het deze keer niet goed was want die witjas heeft me naar de specialist gestuurd. Dokter Morvan in Concarneau, je weet wel. Hij heeft een heleboel onderzoek bij me gedaan en... nou zou ik aan één kant een verstopte ader hebben en die andere is niet veel beter. Nou, je weet hoe ik ben, ik heb meteen tegen de dokter gezegd: "Dokter, ik wil het weten. Wat betekent dat voor mijn toekomst?" en hij zei dus: "Het is ernstig en we zullen krachtige middelen moeten gebruiken. Ik zal u vandaag nog opnemen voor nader onderzoek, een corono... grafie of zoiets, en dan zullen we kijken wat de juiste behandeling is." '

'Maar wanneer was dat? Hadden ze nooit eerder iets gemerkt?'

'Dat was... eh... ongeveer een week voordat ik hier kwam. Nou, wat dacht je, geen sprake van dat ik me zou laten opnemen! Tegen dokter Morvan heb ik gewoon gezegd: "Dokter, dat is onmogelijk," zeg ik, "ik kan vandaag niet het ziekenhuis in." "Morgen dan," zegt ie. "Morgen ook niet." "Hoezo, morgen ook niet? Ik zeg u nogmaals dat u ernstig gevaar loopt." "Kan wel wezen," zeg ik, "maar 'k heb een even ernstige afspraak," zeg ik. "In dat geval," antwoordde hij, en hij keek nogal raar, "waarschuw ik u: ik neem het niet op mijn verantwoording u hier vandaan te laten vertrekken." Nou, toen werd ik woedend en ik heb er geen doekjes om gewonden tegen die witjas al is ie dan ook dokter, als het om verantwoordelijkheid gaat, dan neem ik die zelf tot nader order. Dat ben ik gewend. "Zolang ik nog geen nummer ben in dat rottige ziekenhuis van u, is mijn leven van mij," heb ik gezegd. Die dokter wist niet hoe ie 't had. Dat vond hij maar niks dat ik daar m'n eigen ideeën over had. "Ik heb u gewaarschuwd," zegt ie, "u weet zelf welke risico's u loopt." "Nou en? 'k Heb altijd risico's gelopen in m'n leven, dat is niks nieuws. En verder ben ik goed verzekerd: ik laat m'n gezin niet onverzorgd achter." '

Gauvain ernstig ziek? Mijn eerste reactie is de gedachte dat het een vergissing moet zijn. Ik heb van mijn leven nooit aan die mogelijkheid gedacht. Verdrinken, ja, maar ziek worden... Ik verzet me tegen dat gegeven dat ik niet kan accepteren. Zo'n sterke man, zeg ik steeds weer dom bij mezelf.

'Maar dat is toch ongelofelijk! Had je dan nergens last van? Voelde je je niet lekker of zo?'

"'k Heb nooit zo erg op mezelf gelet, weet je. Dat is bij ons niet de gewoonte. Maar nou ik erover nadenk, ja, soms. Als ik me bukte, had ik last van duizeligheid, een soort gesuis, maar ik dacht dat het van vermoeidheid was. Op mijn leeftijd met dat werk dat ik nog doe, vond ik het normaal. M'n vrienden zijn al jaren met pensioen per slot van rekening.'

'Maar waarom heb je niets gezegd toen je hier kwam? Dan waren we voorzichtig geweest, we...'

'Precies! Ik kwam hier niet om voorzichtig te zijn. Daarvoor krijg ik nog tijd genoeg... Ik wou ons verblijf niet bederven met die flauwekul. In ieder geval hebben we geleefd zoals we wilden tot de laatste dag en ik ben er niet aan doodgegaan, zoals je ziet. Jammer genoeg niet. Soms denk ik bij mezelf dat zo doodgaan, met jou... nog niet eens de slechtste manier zou zijn om de wereld te verlaten!'

'Als ik bedenk dat je dat al die tijd aan je hoofd had, die dreiging, en dat je niets gezegd hebt!'

'Welnee, dat had ik niet aan m'n hoofd. Ik had jou aan m'n hoofd, net als anders. En trouwens, weet je, de dood die heb ik al menige keren onder ogen gezien.'

Naarmate het nieuws beter tot me doordringt, beginnen mijn tranen te stromen, al wil ik het zelf niet.

'Ach, asjeblieft, George, huil niet. Zo erg is 't niet, mocht 't gebeuren. Dokters vergissen zich vaak, hoor. En ik voel me nog steeds hetzelfde. Je hebt geen verschil gezien, hè?'

Zijn ogen krijgen weer die ondeugende uitdrukking waar ik van houd en ik stort me op zijn geruststellende tors. Hem aanraken, hem vasthouden... maar dat zal ik juist niet meer kunnen doen. Als hij ziek is, zal hij nog minder van mij zijn dan als hij op zee is. Ik begin te snikken met mijn hoofd tegen zijn dierbare hart.

'Karedig, zo krijg ik er nog spijt van dat ik met je heb gepraat. Ik wou je eerst niks zeggen. Helemaal niks. Dan had ik je geschreven na het onderzoek dat ze gaan doen, voor het geval ze zouden besluiten me te opereren. Dat noemen ze een bypass. Ze maken je open, ze doen er een ander buisje in en je bent weer als nieuw!'

'En jij had het gewaagd om mij niets te zeggen! Stel je voor: jij in het ziekenhuis en ik zou van niets geweten hebben! Dat had ik je nooit vergeven...'

'Daarom nou juist, ik vond 't beter dat jij het wist. Je bent een beetje m'n vrouw per slot van rekening. Maar maak je maar niet te veel zorgen... Hij had bij andere controles nooit wat tegen me gezegd, de dokter van de rederij. 't Zal niet de eerste keer zijn dat ze zich vergissen, die klootzakken. En verder heb ik m'n laatste woord nog niet gezegd. Ik ben niet zo'n kleintje, ik...'

Dat is een van onze vaste grapjes, dat *was* een van onze grapjes wanneer hij zich met moeite in mij een weg baande, de eerste dag.

'Moet je je voorstellen dat ze me niet eens in 't vliegtuig wilden laten stappen! "Neemt u dan in ieder geval de trein," zei dokter Morvan nog es. "Dat wil ik wel doen maar dat is een beetje moeilijk," zei ik tegen hem , "als je naar Amerika gaat!" '

'En als je hem precies verteld had wat je daar ging doen, in Amerika, had hij je voor gek versleten... en mij voor misdadigster.'

'M'n leven vind ik niet zo belangrijk, maar jou in m'n leven. Dat weet je. Zonder jou kan 't me niet schelen wat er gebeurt.'

Hij drukt me heel stevig tegen zich aan als om me te beschermen tegen de waarheid.

' "Sta op vrijmans, fiere Concarnois"... weet je nog?'

Ik knik van ja. Ik kan niet praten, ik heb steeds maar zitten snikken als een kind, met lange uithalen.

'Dat doet me wel wat, jou te zien huilen om mij. Jij!' zegt hij, me heen en weer wiegend. 'Jij, George Zonderes! Mijn kleine meisje!'

Het is de eerste keer dat hij me zo noemt. Mijn tranen beginnen nog harder te stromen.

'Maar geloof je dan nog steeds niet dat ik van je hou?'

'Ja natuurlijk... maar tegelijk heb ik... Ik heb het nooit gewoon gevonden, hè. Ik was altijd bang dat jij op zekere dag zou merken dat ik niet jouw type was.'

'Je bent echt geschift! Denk je dat je dertig jaar lang blijft houden van iemand die "je type niet is"?'

We lachen of doen alsof. Het nieuws begint langzaam gewoon te worden, tegenspoed went heel snel en ik bedenk al wat er allemaal gaat veranderen. Hoe moet ik weten of het goed met hem gaat? Hoe moet hij me laten weten of hij me nodig heeft? Nu blijkt pas hoe precair onze relatie is. Het woordje *nee* dat ik ooit tegen hem uitgesproken heb, schept nu voorgoed een afstand tussen ons. Je denkt lange tijd dat je het essentiële hebt behouden, dat je het beste hebt bewaard. Maar dan komt de wrede dag dat, wanneer de nood aan de man is, degene van wie je houdt je niet meer kan roepen. Ik ben voortaan nog minder dan de meest vage vriendin van hem en dat gevoel van onmacht verplettert me. Dat is de ultieme wraak van de echtgenotes.

'Ik zorg wel dat je op de hoogte blijft, dat beloof ik je,' verzekert Gauvain me. 'En verder moet je me maar vertrouwen. Ik kan je wel zeggen dat ik niet van plan ben om de pijp uit te gaan. Helemaal niet.'

12
DE WEGEN VAN HET HART

Op 3 november werd Lozerech in het ziekenhuis van Rennes opgenomen voor een bypass-operatie van de kransslagader.

5 november deelde de chirurg mee dat de operatie was geslaagd en de patiënt in een uiterst bevredigende toestand verkeerde.

In de nacht van 7 november stierf Gauvain op de intensive care afdeling zonder dat hij weer bij kennis was gekomen.

'Mijn zoon is overleden,' vertelde zijn moeder me aan de telefoon en het duurde even voor tot me doordrong dat overlijden hetzelfde was als doodgaan.

Het sinistere vocabulaire van de dood, dat alleen een paar dagen van tevoren en een paar dagen na afloop wordt gebruikt, deed zijn intrede. Overlijden, het overbrengen van het lichaam, kerkelijke plechtigheid, uitvaart, de overledene... woorden zonder realiteit, woorden van begrafenisondernemingen ten behoeve van de bedroefde familie en de rouwbrieven. Voor mij was Gauvain niet overleden, hij was dood. Mijn aalscholver zou zijn vleugels niet meer openslaan.

De begrafenis had plaats in Larmor. In de kerk waar nauwelijks genoeg plaats was voor de familie en de vrienden, nam Marie-Josée afscheid van de vader van haar kinderen, mevrouw Lozerech van haar jongste zoon en huilde George Zonderes om hem van wie iedereen dacht dat hij een vriend uit haar kinderjaren was.

Na de kerkdienst heb ik me aangesloten bij de lange stoet naar het kerkhof waar de grafstenen nog schuilgingen onder de overdaad aan chrysanten van Allerheiligen en ik heb gekeken hoe Gauvain afdaalde in het familiegraf, met het gebruikelijke geknars van touwen dat hij de laatste keer hoorde voor de stilte van de grond. In het water had hij 'zijn rustplaats' moeten vinden, zoals hij graag zei.

'Hij heeft niet lang van zijn pensioen mogen genieten, die arme kerel,' zei Yvonne nog eens, diepbedroefd door alle ellende. Net als haar man, zou haar broer zijn hele leven lang zijn bijdrage hebben betaald en dood zijn voor hij de inleg er weer uit had. Gelukkig voor hem, dacht ik. Aalscholvers kunnen alleen op zee leven. Ze blijven nooit lang aan land.

Bij zijn oudste zoon herkende ik, met een pijnlijk verlangen er mijn vingers nog eenmaal door te laten gaan, de roodbruine haardos van zijn vader, dik en gekruld rondom zijn hoofd zoals bij sommige Griekse standbeelden, en de intens blauwe ogen die nauwelijks overschaduwd werden door de gekrulde wimpers. Maar voor de rest was het een slanke, lange vreemde met smalle schouders, zonder ook maar iets van het krachtige voorkomen van Gauvain. Als om het verschil te accentueren, droeg hij losjes een Amerikaans jack.

De hele bemanning van Lozerech stond daar, zijn broers die nog in leven waren en zijn vrienden, in een ongemakkelijke houding zoals mannen op een kerkhof staan, met de pet in de hand. Het is het enige aandenken dat ik graag van hem had willen hebben, zijn visserspet, waarvan de glimmende klep vervormd bleef doordat hij er steeds met zijn duim tegenaan duwde, zo'n automatisch gebaar dat ik zo goed kende, om hem weer goed op zijn weerbarstige haren te drukken. Door dit soort details blijven de doden nog bij ons: een bepaalde manier van lopen waarbij je met je lichaam heen en weer wiegt, een daverende lach, een blik die wegdraait wanneer je met ze over liefde praat.

Ik zou 'ellende krijgen' nu ik zonder hem moest leven en 'menige keren' huilen, zoals hij zo grappig zei. Niemand zou me meer Karedig noemen. Maar ik zou de zekerheid houden dat ik van hem alles had gekregen waarvan de liefde kan stralen. En terwijl op zijn doodkist de akelige scheppen zand neervielen, vroeg ik me plotseling af of, van de mannen van wie ik had gehouden, hij, Lozerech, niet mijn gewettigde was geweest.

'Hij was mijn beste zoon,' zei mevrouw Lozerech nog eens, met droge ogen maar met een lichaam dat schokte van het snikken.

'Ja, hij was een goed mens,' erkende de dueña, die uit het hierna-maals was herrezen, aangezien we nu in het dodenrijk waren. 'Van jou weet ik het nog zo net niet... maar hij, hij was een goed mens.'

Het regende en de wind kwam uit het zuidwesten, zoals hij dat zo vaak gehoord moet hebben. Hij zou geen andere muziek hebben gekozen. Ik tastte onder mijn regenjas naar de ketting, het anker en de hanger waarop ik niets zou laten graveren. Er was niets afgelopen. Maar ik rilde ondanks het zachte weer, alsof mijn hele huid om hem in de rouw was. In de rouw om een man met wie ik nooit de kerstdagen zal hebben doorgebracht.

En toch zal ik over een maand mijn eerste kerstdagen zonder hem doorbrengen.